José Eduardo de Siqueira

Bioethik-Ausbildung

ScienciaScripts

Bioethik-Ausbildung

Jose Eduardo de Siqueira

VORWORT:

In diesem Faszikel sind zwei Buchkapitel über klinische Bioethik zusammengefasst, die 2008 bzw. 2016 veröffentlicht wurden, das erste von Editora Gaia aus Sao Paulo und das zweite vom Bundesrat für Medizin anlässlich des XI. brasilianischen Kongresses für Bioethik, des III. brasilianischen Kongresses für klinische Bioethik und der III. internationalen Konferenz für Ethik in der Lehre, die im September 2015 im Bundesdistrikt stattfanden. Wir waren als Organisatoren an beiden Arbeiten beteiligt. Die Veröffentlichungen wurden von Universitätsprofessoren im Gesundheitsbereich sehr gut aufgenommen, was uns das große akademische Interesse an diesem Thema zeigt. Bioethik ist ein neuer Wissensbereich, der in den Lehrplan der medizinischen Studiengänge aufgenommen wurde, um einer Empfehlung des Bildungsministeriums nachzukommen, Fachkräfte mit größerem sozialem Engagement und der Fähigkeit zu einem respektvollen Dialog mit Patienten, die Nutzer des einheitlichen Gesundheitssystems sind, auszubilden.

Wir begrüßen die aktuelle Initiative von Novas Edigoes Academicas, die darauf abzielt, die Bioethik einem breiteren Publikum als nur den Akademikern näher zu bringen.

Jose Eduardo de Siqueira, Mai 2018

---

* Jose Eduardo de Siqueira : Doktor der Medizin an der Staatlichen Universität von Londrina (UEL), Master in Bioethik an der Universität von Chile, ordentlicher Professor für Medizin an der Päpstlichen Katholischen Universität von Paraná (PUCPR), Professor für Grundlagen der Bioethik und klinische Bioethik im Postgraduiertenprogramm für Bioethik an der PUCPR, Ordentliches Mitglied des Vorstands der International Association of Bioethics (IAB) (2009-2013), Präsident der Brasilianischen Gesellschaft für Bioethik (SBB) (2005-2007), Ordentliches Mitglied der Akademie für Medizin von Paraná.

1 DAS ENDE DER MEDIZINISCHEN BEVORMUNDUNG

Bernard Lown, ein Schüler von Samuel Levine, einem der bedeutendsten Kardiologen des 20. Jahrhunderts, vertrat auf der Grundlage der soliden Erfahrung von mehr als 40 Jahren Berufspraxis die Auffassung, dass Ärzte die Kunst des Heilens verlernt hätten. In der Tat hat die Medizin bei der Diagnose und Behandlung der verschiedensten Krankheiten nie so große Fortschritte gemacht wie im letzten Jahrhundert, aber nie hat sich der kranke Mensch so weit von der Aufmerksamkeit des Arztes entfernt gefühlt. In seinem Buch *"Die verlorene Kunst des Heilens"* beklagt Lown die übertriebene Betonung, die die medizinischen Fakultäten auf die Ausbildung von Fachleuten zu, wie er es ausdrückt, "wissenschaftlichen Leitern und Managern komplexer Biotechnologien" legen und dabei die eigentliche Kunst des Arztberufs außer Acht lassen. Er wies darauf hin, dass die wahre "medizinische Weisheit" in der Fähigkeit besteht, ein klinisches Problem nicht in Bezug auf ein Organ, sondern in Bezug auf den ganzen Menschen zu verstehen, und prangerte schließlich an: *"(...) der Arzt wird mit der richtigen Person gesucht".) "wir suchen den Arzt, bei dem wir uns wohlfühlen, wenn wir unsere Beschwerden schildern, ohne Angst zu haben, zahlreichen Prozeduren unterworfen zu werden; den Arzt, für den der Patient niemals eine Statistik ist (...), sondern vor allem ein Mitmensch, dessen Sorge um den Patienten durch die Freude am Dienen belebt wird (...)"* (LOWN, B.1997).). Auch die These, dass jedes Leiden des Patienten mit Hilfe der Technik identifiziert werden kann, wird immer noch vertreten. Wir haben außerordentliche Fortschritte in unserem Wissen über Krankheiten gemacht und dabei den kranken Menschen vergessen und begonnen, Krankheiten von Menschen zu behandeln, anstatt Menschen, die zufällig krank sind. Jungen Studenten wird beigebracht, Geräte zu bedienen und unzählige biologische Variablen abzulesen, aber sie lernen nicht, den Menschen als biopsychosoziale und spirituelle Einheit zu erkennen.

Rozenman schilderte den "Kreuzweg" eines älteren Patienten, der sich einer koronaren Bypass-Operation unterzog und in der späten postoperativen Phase an

Fieber und Anämie litt. Er wurde in ein renommiertes US-amerikanisches Krankenhaus eingeliefert, wo er von einem Team kompetenter Spezialisten untersucht wurde und sich zahlreichen semiologischen Verfahren unterzog, darunter einer oberen Magen-Darm-Endoskopie, einer Koloskopie und einer Computertomographie der Wirbelsäule mit anschließender Wirbelsäulenbiopsie. Die diagnostischen Verdachtsmomente reichten von einem multiplen Myelom bis hin zu Krebs mit Metastasen in der Wirbelsäule, bis bei einer angemessenen körperlichen Untersuchung ein deutliches systolisches Geräusch im Mitralfokus festgestellt und schließlich die Diagnose einer infektiösen Endokarditis gestellt wurde, die durch eine Blutkultur bestätigt wurde, die *Staphylococcus epidermidis* als Erreger identifizierte. Der Autor weist auf den verschlungenen Weg hin, der zur endgültigen Diagnose führte, und zeigt, dass die zahlreichen Spezialisten, die zur Beurteilung der Krankheit herangezogen wurden, dies nach langwierigen und gründlichen Untersuchungen "innerhalb ihrer spezifischen Wissensgebiete" taten und dabei die grundlegendste medizinische Lehre missachteten, die den menschlichen Körper als eine komplexe Einheit aus Organen und Systemen anerkennt, die kontinuierlich und ununterbrochen zusammenwirken. Es gibt keinen einzigen Reiz aus der äußeren Umgebung, der nicht vom Zentralnervensystem wahrgenommen, sofort an alle anderen Organsysteme weitergeleitet wird und zum Ausdruck eines menschlichen Gefühls führt (ROZENMAN, Y., 1997).

Die Suche nach der "Großen Gesundheit", die sich Sfez in der globalisierten Utopie des 21. Jahrhunderts vorstellt, scheint auf eine Gesellschaft hinzudeuten, die nach den Regeln *der* extremsten wissenschaftlichen Objektivität strukturiert ist, in der *"niemand den Tod des Arztes beklagt, noch den des Schicksals, noch den der Seele, ein anderes Alter, ersetzt durch eine kollektive Einheit".* (SFEZ,L., 1996.) Angesichts der zunehmenden Substitution des klinischen Denkens durch die Informationen, die von den hochentwickelten Geräten der heutigen biomedizinischen Technologie geliefert werden, stellt sich die Frage, ob die Angehörigen der Gesundheitsberufe nicht irgendwann für klinische Entscheidungen entbehrlich werden. Bereits heute gibt es auf unzähligen virtuellen Plattformen Programme, die eine Interaktion zwischen Beobachter und Maschine ermöglichen, so dass Diagnosen mit therapeutischen Ansätzen durchgeführt werden können, die heute keine ärztliche Beratung mehr erfordern. Wenn das wissenschaftliche Wissen vollständig in Maschinen gespeichert ist, würde es dann nicht ausreichen, wenn die Nutzer auf diese virtuellen Quellen zugreifen, um Lösungen für ihre Gesundheitsprobleme zu erhalten? Ist es möglich, die unablässige Suche nach medizinischen Informationen auf dem inzwischen berühmten Dr. Google zu ignorieren? Jeder Mediziner weiß jedoch aus eigener Erfahrung, dass sich eine Krankheit nicht ausschließlich im organischen oder psychischen, sozialen oder familiären Bereich manifestieren kann, denn er weiß, dass sie immer sowohl organisch als auch psychisch, sozial und familiär sein wird, ein Zustand, der niemals von einer mit künstlicher Intelligenz ausgestatteten Maschine erkannt werden kann. Außerdem sucht ein Patient, der einen Arzt aufsucht, immer eine Behandlung, die sich nicht nur auf die Beseitigung eines vorübergehenden Leidens beschränkt. Die Arzt-Patienten-Beziehung wird immer eine intersubjektive Übung sein, die von zwei Menschen - Arzt und Patient - erlebt wird und die nur dann effektiv ist, wenn sie mit Akzeptanz, aktivem Zuhören, respektvollem Dialog und der Hoffnung auf Heilung für den Leidenden geführt wird. Die Symptome, die einen Patienten in die Sprechstunde führen, sind immer mit einem großen Geheimnis behaftet. Was steckt hinter den anhaltenden Kopfschmerzen oder den Brustschmerzen des jungen Bankers? Reicht ein Blutdruck von 150 x 100 bei der körperlichen Untersuchung aus, um Bluthochdruck zu diagnostizieren? Reicht die Verschreibung eines blutdrucksenkenden Medikaments mit dem Ziel, den beobachteten abnormen Druckwert zu korrigieren, um die Behandlung als durchgeführt zu betrachten? Symptome sind Botschaften, die es zu entschlüsseln gilt. Das reduktionistische Modell der kartesischen Medizin hat die unwahrscheinliche Linearität zwischen körperlichen Symptomen, abnormalen Blutdruckwerten und Bluthochdruckkrankheit Wirklichkeit werden lassen. Eine gute Anamnese kann aufzeigen, dass die eigentliche Ursache von Kopfschmerzen und

Bluthochdruck im stressigen Arbeitsumfeld liegt, so dass die Verschreibung von Hypotensiva eine unheilvolle und unangemessene Praxis ist. Das richtige Mittel wäre, den jungen Menschen willkommen zu heißen und ihn durch aktives Zuhören als einen Menschen zu verstehen, der durch das stressige Arbeitsumfeld verletzlich geworden ist. Es wäre jedoch unvernünftig, ihn einer umfangreichen und kostspieligen Untersuchung zu unterziehen, um eine organische Pathologie zu finden, die das Vorhandensein von Bluthochdruck rechtfertigt. Dies ist eine stumme Kunst, die darin besteht, eine Krankheit nur anhand der körperlichen Anzeichen zu erkennen. Der Arzt, der dies tut, verdient es zweifellos, durch Dr. Google ersetzt zu werden. Dieses Modell der Medizin ist weit entfernt von dem, das Gaillard für das Handeln der Mediziner im 21. Jahrhundert vorschlägt. Jahrhundert vorschlägt. Der Autor weist auf sechs notwendige Phasen hin, um sie zu charakterisieren. Die erste wäre die Begrüßung, gefolgt von Anamnese und körperlicher Untersuchung. Die letzten drei Phasen sind Diagnose, Verschreibung und Trennung. Das größte Hindernis für die Erfüllung dieser Etappen, abgesehen von der kartesianischen Ausbildung, zeigt sich deutlich in den empörten Äußerungen der französischen Ärzte, die der Forscher gehört hat: "Glauben Sie wirklich, dass wir angesichts der geringen Höhe unserer Honorare Zeit für all diese Dinge finden können?" (GAILLARD, J.R., 1995).

Leider zeigt die heutige medizinische Versorgung eine grausame Realität, die sich wie folgt zusammenfassen lässt: den Patienten in kürzester Zeit behandeln, irgendein Medikament verschreiben und diese unbequeme und unterbezahlte Verpflichtung so schnell wie möglich wieder loswerden. Fachleute und Patienten, die sich körperlich so nahe und emotional so weit entfernt sind, sehen sich kaum an oder berühren sich. Tatsächlich respektieren sie sich nicht einmal. Auf diese Weise wird das perverseste Modell der Gesundheitsversorgung praktiziert: blind und taub. Taub, weil der Patient nicht als Person willkommen ist und nicht einmal gehört wird. Blind, weil sie sich darauf beschränkt, die Krankheit nur als Ausdruck biologischer Variablen zu verstehen, die durch zusätzliche Tests nachgewiesen werden, und den Patienten nicht als biografisches Wesen anerkennt. Eine Studie, die durchgeführt wurde, um die Beziehung zwischen Arzt und Patient in den öffentlichen und privaten Gesundheitsdiensten der Stadt Londrina zu bewerten, hat das Stadium dieser wahren Beziehungskatastrophe aufgezeigt. Insgesamt wurden 647 Patienten befragt, von denen 324 das einheitliche Gesundheitssystem (SUS) und 323 eine private Krankenversicherung in Anspruch nahmen. Die Ergebnisse für die Patienten des öffentlichen Gesundheitssystems zeigten: a) die Patienten verbrachten mehr als 90 Minuten im Wartezimmer, bevor sie von einem Arzt gesehen wurden: 171 (53,1 %); b) die Patienten wurden während der Konsultation nicht mit Namen angesprochen: 105 (32,6%); c) die Konsultation dauerte weniger als 10 Minuten: 223 (69,9%); d) die Patienten wurden nicht körperlich untersucht: 97 (30,2%) (SIQUEIRA, J.E., 2005).

Die Bindung zwischen Fachleuten und Patienten, die durch die Gesundheitsförderung entsteht, muss das Ergebnis von zwei sich ergänzenden Bewegungen sein. Der Patient, der den Fachmann aufsucht, und der Empfang, den er ihm bereiten muss. Beide sind qualitativ unterschiedlich, aber Hippokrates fand ein Wort, um sie zu beschreiben: *"philia"*, was mit Freundschaft, Liebe, Solidarität und Mitgefühl übersetzt werden kann. Für Lain Entralgo muss dieses Gefühl notwendigerweise in jeder medizinischen Behandlung vorhanden sein. In diesem Zusammenhang erinnert er an die Worte des großen spanischen Klinikers Gregorio Maranon: *"Niemals habe ich in all seiner Transzendenz eine bessere Vorstellung vom Wert des konstitutionellen Elements in der Medizin gehabt als bei der Lektüre meiner ersten Krankengeschichten: derjenigen, die in den letzten Jahren des Medizinstudiums und in den ersten Jahren des Berufs- und Krankenhauslebens so detailliert, aber mit einer so schlechten Methode gesammelt wurden. Sie beschrieben die Symptome, die (chemischen und bakteriologischen) Analysen und manchmal die Läsionen, mit anderen Worten, die Krankheit, aber der Patient war nicht da. Kein einziges Wort darüber, wie die Person aussah, die die Krankheit erlitt..."* (ENTRALGO, P.L,.1986)

Das 20. Jahrhundert brachte eine außerordentliche Entwicklung der biomedizinischen Technologie mit sich, während die Glaubwürdigkeit der Ärzte paradoxerweise abnahm. Die Patienten vertrauen der Technik und misstrauen den Fachleuten. So wie sie die von den Geräten gelieferten Informationen schätzen, unterschätzen sie die Fähigkeit der Ärzte, genaue Diagnosen zu stellen. Hinzu kommt die zunehmende Präsenz privater, gewinnorientierter Lehranstalten, die sich ausschließlich von finanziellen Interessen leiten lassen, und das Ergebnis ist das Chaos, das im Gesundheitswesen unseres Landes herrscht. Ein unsicherer Ausbildungsapparat, Hochschulabsolventen, die sich wenig um ihre soziale Verantwortung kümmern, und niedrige Gehälter sind weitere Zutaten des unverdaulichen Mahls, das das brasilianische Gesundheitssystem bietet.

Wie können wir die wahre hippokratische *"philia"* in einer Gesellschaft wiedererlangen, die die Ausübung des Prinzips der Andersartigkeit in der medizinischen Praxis unterschätzt? Lain Entralgo schlägt drei Grundprinzipien vor, um Arzt und Patient in einer harmonischeren Beziehung einander näher zu bringen: a) Prinzip der maximalen technischen Kompetenz: Der Fachmann muss eine gründliche technische Ausbildung haben, die es ihm ermöglicht, alle Instrumente, die die Technikwissenschaft bietet, sinnvoll zu nutzen; b) Prinzip der guten Arbeit: Der Arzt muss seine intellektuellen Fähigkeiten und sein technisches Wissen einsetzen, wobei er sich ausschließlich vom Wohl des Patienten leiten lassen muss; c) Prinzip der Authentizität des Guten: In Situationen mit moralischen Konflikten muss der Fachmann das authentische Interesse des Patienten entsprechend den von ihm geäußerten Werten respektieren. (ENTRALGO,P.L., 1983). Es ist klar, dass es eine enge Beziehung zwischen dem von Entralgo vorgeschlagenen Fahrplan und den vier Säulen der Ausbildung von Fachkräften für das 21. Jahrhundert gibt, wie sie von der UNESCO vorgeschlagen wurden: Lernen zu wissen, lernen zu tun, lernen zu sein und lernen zusammen zu leben (CIRET-UNESCO, 1997).

Bis zu diesem Niveau ist es noch ein weiter Weg, aber schauen wir mal: 1996 veröffentlichten der Bundesrat für Medizin (C.F.M.), der Nationale Ärzteverband, die Brasilianische Ärztekammer und die Oswaldo-Cruz-Stiftung ein interessantes Dokument mit dem Titel: "Profil der Ärzte in Brasilien". Band IV über die im Bundesstaat Paraná erhobenen Daten zeigt folgende Ergebnisse: a) 68,4 % der Ärzte hatten drei Arbeitsstellen, während 31,6 % vier oder mehr Arbeitsstellen hatten; b) 88,1 % waren für ihren persönlichen und/oder familiären Lebensunterhalt von mageren Einkünften aus Verträgen mit Gesundheitsunternehmen, Gruppenmedizin oder medizinischen Genossenschaften abhängig; c) 82,8 % gaben an, dass sie bei der Ausübung ihres Berufs unter schwerer körperlicher und geistiger Erschöpfung litten; d) 65,5 % sprachen sich für Streiks in der Kategorie aus, wobei 5,3 % der Meinung waren, dass unter diesen Umständen sogar die Notfallversorgung ausgesetzt werden sollte. Die letzten Worte des Dokuments lauten: *"In diesem für die Ärzte ungünstigen Szenario wird die Zukunft des Berufs von der Mehrheit mit einem stark negativen Gefühl gesehen, was die Unzufriedenheit und den Mangel an beruflichen Perspektiven widerspiegelt, die sich den brasilianischen Ärzten heute bieten."* (PERFIL DOS MEDICOS NO BRASIL, 1996). Aufgrund dieser besorgniserregenden Hinweise veranstaltete die C.F.M. im folgenden Jahr das "Internationale Seminar über den Arztberuf". Anlässlich dieser Veranstaltung sagte der Präsident der brasilianischen Ärztekammer: "(...) Die *Qualität der Versorgung war ein weiteres wichtiges Thema, das angesprochen wurde. Was ist in den letzten zwei oder drei Jahren mit den Ärzten in ganz Brasilien geschehen? In dem Maße, in dem er in der Lage war, zehn Termine zu einem damals theoretisch noch guten Preis wahrzunehmen, der jetzt völlig entwertet ist, hat der Arzt für sich eine viel bequemere Alternative gewählt: Er reagiert nicht, er sagt nicht, dass er nicht kommt, also hat er es vorgezogen, die Zahl der Termine mit den Krankenkassen zu verdoppeln, um ein angemessenes finanzielles Ergebnis zu erzielen. Die Folge ist, dass die Qualität sinkt. Es ist unmöglich, dass ein Arzt, der normalerweise zehn Patienten behandelt, zwanzig Patienten in einer Stunde behandeln kann. Das wirkt sich direkt auf die Qualität [der erbrachten Leistung] aus"* (SEMINARIO INTERNACIONAL-PROFISSAO MEDICA,1997). Im Jahr 1998 veröffentlichte die C.F.M. "Os medicos e a Saude no Brasil" ("Ärzte und Gesundheit in Brasilien"), in dem es heißt: *"Ob es sich um eine Folge oder einen Faktor der Krise handelt, spielt keine Rolle, Tatsache ist, dass die Ausbildung von Ärzten in der heutigen Gesellschaft mit immensen Herausforderungen konfrontiert ist. Die technologischen Grundlagen der Praxis, der eigentliche Pfeiler der heutigen medizinischen Ausbildung, stehen vor dem Dilemma, dass sie für die Mehrheit der Gesellschaft, die vom Zugang zu ihnen ausgeschlossen ist oder sie nur am Rande wahrnimmt, nur wenig Nutzen bringen. Die individualistische Anziehungskraft, die auf der durch den hippokratischen Eid inspirierten Arzt-Patienten-Beziehung beruht und ein handwerkliches Modell der Leistungserbringung hervorgebracht hat, das in früheren Zeiten zweifellos wirksam war, ist zu einem echten Anachronismus geworden. Die heutige Medizin ist institutionell, bürokratisch und wirtschaftlich stark vermittelt, und die medizinischen Fakultäten scheinen sich dieser Tatsache nicht bewusst zu sein und führen ihre Lehr- und Betreuungsaktivitäten durch, als ob die Zeiten noch anders wären."* (OS MEDICOS E A SAUDE NO BRASIL, 1998) Diese Daten aus Umfragen, die von der C.F.M. in drei aufeinanderfolgenden Jahren durchgeführt wurden, sprechen für sich. Weitere Studien, die in diesem Jahrhundert durchgeführt wurden, zeigen ähnliche, wenn nicht noch beunruhigendere Ergebnisse. Die Suche nach atypischen Lösungen wie dem Programm Mais Medicos (Mehr Ärzte), das vorschlug, mehr Fachkräfte auszubilden, um die geringe Nachfrage der Gemeinden mit Ärztemangel zu decken, hat sich als falsch erwiesen. Eine kürzlich von Forschern der Universität von Sao Paulo (USP) durchgeführte und von der CFM geförderte Studie zeigte, dass sich die Verteilung der Ärzte auf die verschiedenen Regionen des Landes nicht wesentlich verändert hat. (SCHEFFER, M. 2018)

Die Begründung ist recht einfach und lässt sich auf die simple Tatsache reduzieren, dass in Gemeinden, in denen es an Fachkräften mangelt, Mindestvoraussetzungen geschaffen werden müssen, damit die Ausübung der ärztlichen Tätigkeit möglich wird. Wie soll es möglich sein, Medizin zu praktizieren, wenn der Arzt nicht über ein Minimum an angemessener Krankenhausinfrastruktur oder ein klinisches

Analyselabor verfügt, das grundlegende Tests zur Unterstützung diagnostischer und therapeutischer Verfahren durchführen kann? Diese Frage hat sich die föderale Regierung vor dem offiziellen Start des Programms entweder nicht gestellt oder sie wollte sie nicht beantworten und zog es vor, eine vereinfachte Lösung zu wählen, der die Grundlagen für ihre Verwirklichung fehlten. Wenn jedoch der Prozess der Globalisierung unvermeidlich ist und wir uns rasch auf die zynische Realität des Minimalstaates zubewegen, in dem das Gesetz des freien Marktes und die Regel des "Rette, wen du kannst" vorherrschen, ist es die Pflicht der Verantwortlichen, ein Minimum an Moral zu bewahren. Wenn die Zentralregierung andere Prioritäten setzt und beschließt, sich vor grundlegenden Aufgaben wie Sicherheit, Bildung und Gesundheit zu drücken, können die Angehörigen der Gesundheitsberufe nicht umhin, die Täter und Opfer dieser Gesellschaft, die Verluste globalisiert und Gewinne privatisiert, zu benennen und deutlich anzuprangern. Es gibt nur wenige Berufe, die das Privileg genießen, menschlichen Schmerz und menschliches Leid zu teilen und zu lindern, wie die Angehörigen der Gesundheitsberufe. Die Krankenpflege kann daher niemals von einer Haltung der Missachtung oder Entfremdung beseelt sein, denn der Protagonist dieser Pflege ist ein menschliches Wesen, das nicht wie ein Objekt behandelt werden kann, weil es ein Ziel an sich und mit Würde ausgestattet ist. Dieses Wesen, das Boff als heilig, als Subjekt der persönlichen Geschichte und als wesentliches Element beim Aufbau einer menschlicheren Gesellschaft bezeichnet, ist fähig, mit den Geheimnissen der Welt zu leben und mit ihnen in Dialog zu treten, und es fragt nach dem letzten Sinn des Lebens und kommuniziert mit den anderen, indem es in ihnen das Bild des Schöpfers sieht. Das Wesen des menschlichen Handelns muss daher immer auf die Fürsorge ausgerichtet sein. (BOFF, L., 1999 a)

Angesichts der aufgezeigten Schwierigkeiten ist es klar, dass die Kunst der guten Pflege entcharakterisiert wurde. Andererseits ist es wichtig zu erkennen, dass das Individuum und das Kollektiv Teil derselben Realität sind, sie sind artikulierte Mitglieder desselben Körpers. Mensch und Gesellschaft sind untrennbare Einheiten. Beide reagieren auf die gleichen Reize und leiden gleichzeitig unter den gleichen

Schmerzen.

Wenn wir uns von den Regeln des freien Marktes leiten lassen, werden das unaufhörliche Streben nach persönlichem Vorteil, die Logik der Anhäufung von Gütern und die Verachtung für andere die Oberhand gewinnen. Auf diese Weise verlieren die Menschen, die Fauna, die Flora und alle Reichtümer, die uns umgeben, ihren Eigenwert und werden zu Produkten, die auf einem riesigen Handelsparkett verkauft werden. Nur am Rande sei auf einige der irreversiblen Schäden hingewiesen, die dieses Modell dem Leben auf unserem Planeten zufügt, wenn man sich die Daten der UN-Weltkommission für Umwelt aus dem Jahr 1992 ansieht. Damals wurde geschätzt, dass jedes Jahr 6 Millionen Hektar produktives Land in Wüste verwandelt werden, was bedeutet, dass alle 30 Jahre eine Fläche verloren geht, die dem Territorium von Saudi-Arabien entspricht. Jedes Jahr wurden mehr als 11 Millionen Hektar Wald zerstört, was einen Verlust der Fläche Indiens alle 30 Jahre bedeuten würde (SIQUEIRA, J.E., 1998).

Der amerikanische Wissenschaftler Kennet Baoulding bezeichnete das kapitalistische Wirtschaftsmodell als "Cowboy", das auf dem scheinbar unbegrenzten Reichtum an Ressourcen und Territorien beruht, die nach der baconschen Regel der Versklavung der Natur und ihrer Indienstnahme durch den Menschen genutzt und erobert werden können, was einen unverantwortlichen und räuberischen Anthropozentrismus darstellt. (BOFF,L., 1999 b) Die Logik des Marktes ist auf Wettbewerb und nicht auf Zusammenarbeit ausgerichtet. Er ist alles, und alle Probleme der Gesellschaft müssen auf ihm gelöst werden. Dieser Fundamentalismus stellt das opportunistische und spekulative Finanzkapital in den Mittelpunkt, das die Volkswirtschaften der Schwellenländer ruiniert und ein authentisches menschliches Leben unmöglich macht. Was hat das mit der menschlichen Gesundheit zu tun, dem Thema dieses Aufsatzes? Daten der Weltorganisation für Kinder aus dem Jahr 1998 zeigen, dass etwa 250 Millionen Kinder unter ungesunden Bedingungen arbeiten, viele von ihnen im Alter von unter fünf Jahren. In Lateinamerika arbeiteten 3 von 5 Kindern, in Afrika 1 von 3 und in Asien 1 von 2. Das 21. Jahrhundert, als es erwachte, zeigte uns

Indizes sozialer Ungerechtigkeit, die ähnlich, wenn nicht schlimmer waren als die bisher vorgestellten (BOFF, L., 2001).

Betrachtet man den Mikrokosmos, den der Mensch darstellt, so stellt man fest, dass die lange Herrschaft des Kartesianismus in der Wissenschaft das Qualitative aus dem Leben verbannt und das Quantitative durchgesetzt hat. Nach Max Weber wird die letzte Stufe der Verbesserung dieses Modells von *"Spezialisten ohne Geist, Sensualisten ohne Herz"* repräsentiert, *und diese Nichtigkeit bildet sich ein, eine nie zuvor erreichte Zivilisationsstufe erreicht zu haben.* (RIEFF,P., 1990)

Alle Mediziner erkennen an, dass es keine Krankheit gibt, die sich außerhalb eines persönlichen Temperaments, von Erfahrungen und Erlebnissen, die bereits gelebt wurden, manifestiert, und selbst wenn sie sich mit einer ähnlichen Physiognomie als Ganzes präsentiert, zeigen sich ihre Spuren immer in den Details, den einzigartigen Farben des biografischen Menschen. In Foucaults Worten: *"Der Kranke ist die Krankheit, die einzigartige Züge angenommen hat, mit Schatten und Relief, Modulationen, Nuancen, Tiefe, und die Aufgabe des Mediziners, wenn er die Krankheit beschreibt, wird es sein, diese lebendige Realität zu erkennen".* (FOUCAULT, M., 1998). Jeder Mensch erkrankt auf seine eigene Art und Weise, unabhängig davon, wie die Mediziner ihn in diese oder jene nosologische Kategorie einordnen. Jede Behandlung muss in der zwischenmenschlichen Konstruktion Arzt-Patient einzigartig sein. Lain Entralgo beschreibt das Identitätsgefühl des Patienten als ganzheitliches menschliches Wesen wie folgt: *"Es ist mein lebendiger Körper, der denkt, will und fühlt."* (ENTRALGO, P.L., 1996)

Für Spezialisten, die nur ihr Wissensgebiet, d.h. das kleine Territorium ihres Wissens, als real wahrnehmen, gilt es, die Warnung von Marcuse zu beherzigen, der den eindimensionalen Menschen als einen bezeichnete, der sich auf eine einzige Sprache spezialisiert hat und die Welt nur durch sie wahrnimmt.

Für ihn, den Experten, *"ist die Welt nur das, was die Spiele seiner Sprache als wahr registrieren. Der Rest ist unwirklich".* (MARCUSE, H., 1964). In der realen Welt spielen die Menschen viele Spiele gleichzeitig: Spiele der Liebe, Spiele der Macht,

Spiele des Wissens, Spiele des Vergnügens, Spiele des Handelns, Spiele des Spielens, Spiele der Verführung und sogar Spiele des Krankwerdens. So ist das Leben, eine endlose Abfolge von Spielen. Es anders zu sehen, hieße, das Wesentliche zu ignorieren (ALVES, R., 2001).

2 ZWISCHEN TUGENDETHIK UND PFLICHTETHIK

Es ist wichtig, sich bewusst zu machen, dass das 20. Jahrhundert wesentliche Veränderungen in der Arzt-Patienten-Beziehung mit sich brachte. Die erste Hälfte des letzten Jahrhunderts war durch das klassische Modell der Tugendethik geprägt, bei dem der Berufsangehörige, der vermutlich mit unbestreitbarem Wissen und Berufung ausgestattet war, die Richtlinien für die Pflege der Kranken festlegte. Letztere wiederum befolgten passiv die Anweisungen, die ihnen von den Ärzten auferlegt wurden. Dies kennzeichnete eine asymmetrische, vertikale zwischenmenschliche Beziehung, in der jemand mit einer tugendhaften Erziehung genug Macht hatte, um anderen Entscheidungen aufzuzwingen. Ab den 1960er Jahren begann der Patient den Status eines Subjekts einzunehmen, das in der Lage war, die für ihn am besten geeigneten Entscheidungen zu treffen, während die Rolle des Leistungserbringers dem medizinischen Personal vorbehalten war. Damit verlor die Tugendethik ihre Vorrangstellung und die Pflichtethik, die sich der fachlich korrekten Versorgung verpflichtet, gewann an Bedeutung. Im klassischen Modell besaß der tugendhafte Arzt von Natur aus moralische Vollkommenheit. Auf diese Weise entstand ein berühmter hippokratischer Aphorismus: "Wo es Liebe zu den Kranken gibt (*philanthropie*), gibt es auch Liebe zur Kunst (*philotekhnie*)". Das Prinzip der Wohltätigkeit setzte sich also als Ausdruck der natürlichen Praxis der Tugendethik durch. Dies war in der westlichen Welt mehr als zwanzig Jahrhunderte lang die Auffassung. Dazu genügt ein Blick auf den Eid des Hippokrates, der bis heute von Medizinern geleistet wird und in dem das Streben nach moralischer Vollkommenheit leicht mit den Regeln einer privaten Moral für Ärzte identifiziert werden kann: "Ich schwöre bei Apollo, dem Arzt, bei Asklepios, Hygeia und Panacea sowie bei allen Göttern und Göttinnen, den Eid (....) nach meinem Ermessen zu erfüllen (...) ich werde dies meinen Kindern und den Kindern meiner Meister beibringen und niemandem sonst (...) Wenn ich diesen Eid treu erfülle, werde ich mein Leben und meine Kunst mit einem guten Ruf unter den Menschen genießen, und zwar für immer; wenn ich aber davon abweiche oder ihn verletze, wird mir das

Gegenteil widerfahren."

Das neue Paradigma hingegen ordnete die Entscheidungen der Fachleute den Rechten der Patienten unter und ließ sich daher von der Pflichtethik leiten, bei der die Autonomie des Patienten bei der Entscheidung über die für seinen Körper zu wählenden diagnostischen und therapeutischen Ansätze überwiegt, so dass es unerlässlich wurde, die Rechte der Patienten gegenüber den Vorschlägen der Ärzte anzuerkennen. Es wurde also eine vertragliche Beziehung geschaffen, in der die Fachleute ihr Wissen und ihre technischen Fähigkeiten anbieten und der Patient, nachdem er die entsprechenden Informationen erhalten hat, autonom die Entscheidungen trifft, die ihn am meisten zufrieden stellen. Dieser Übergang vom Modell der Tugendethik zur Pflichtethik ist von den an dieser Beziehung beteiligten Akteuren noch nicht angemessen verarbeitet worden. Die Ersetzung der autonomen Entscheidungsfindung des Patienten durch eine paternalistische Anleitung hatte den Nebeneffekt, dass die Beziehung zwischen Arzt und Patient justiziabel wurde, indem die Angehörigen der Gesundheitsberufe zu Dienstleistern wurden und somit rechtlichen Forderungen der Patienten ausgesetzt waren, wenn sie mit der Qualität der erbrachten Leistungen unzufrieden waren. Die Befürworter der vollständigen Patientenautonomie argumentieren, dass nur die Patienten das Recht haben, Entscheidungen über ihren eigenen Körper zu treffen, indem sie die Entscheidungsbefugnis der Fachleute auf ein Minimum reduzieren. Andere wiederum halten diese neue Bedingung in der Arzt-Patienten-Beziehung für unzureichend, da sie der Meinung sind, dass die Entscheidungsfähigkeit eines jeden Menschen im Krankheitsfall automatisch eingeschränkt ist, und vor allem, dass es für die Angehörigen der Gesundheitsberufe unmöglich ist, dem Patienten alle Informationen zu übermitteln, die für eine optimale Entscheidungsfindung in der jeweiligen klinischen Situation erforderlich sind. Es gibt auch eine dritte Gruppe, die einen alternativen Weg der Entscheidungsfindung vorschlägt, der vom Habermas'schen Vorschlag der Deliberation inspiriert ist und einen respektvollen Dialog zwischen den Parteien bei der Suche nach einvernehmlichen Lösungen voraussetzt, die so vernünftig und umsichtig wie möglich sind. Die bedingungslosen Verfechter der vollständigen Ausübung der Autonomie des Patienten bei klinischen Entscheidungen gehen davon aus, dass es dem Angehörigen der Gesundheitsberufe lediglich obliegt, technische Informationen anzubieten und seine Fähigkeiten zur Durchführung des vom Patienten gewählten Verfahrens zur Verfügung zu stellen. In diesem Fall würde die Fachkraft nur eine beratende Rolle spielen, indem sie alle möglichen therapeutischen Alternativen anbietet, damit der Patient die für ihn am besten geeignete Entscheidung treffen kann. Nicht zu Unrecht ist dieses Modell in den angelsächsisch geprägten Ländern, in denen die Ausübung der Rechte des Einzelnen stark respektiert wird, sehr gut aufgenommen worden. In diesem Szenario geht der Patient zum Arzt, um eine technische Dienstleistung in Anspruch zu nehmen, und alles muss durch einen Vertrag geregelt werden, der die Rechte und Pflichten jeder der an der Behandlung beteiligten Parteien enthält. In der medizinischen Praxis hat dieses Beziehungsmodell einerseits Laiengremien hervorgebracht, die sich darauf spezialisiert haben, mögliche Berufsfehler aufzudecken, und andererseits die so genannte Defensivmedizin, die sich auf die Ausarbeitung von Verträgen spezialisiert hat, die die Fachleute vor möglichen Klagen der Patienten schützen. Es liegt auf der Hand, dass diese Sackgasse schwerwiegende Folgen für den Prozess der Ausarbeitung und Einholung der Einwilligung nach Aufklärung hat. Es liegt also auf der Hand, dass durch die Ersetzung des hippokratisch inspirierten paternalistischen Modells durch die uneingeschränkte Ausübung der Patientenautonomie, die Unterbewertung der Figur des tugendhaften Berufsangehörigen und die Annahme eines Vertragspakts als vermittelndes Element zwischen Gesundheitspersonal und Patient die Wahrnehmung wuchs, dass die so genannte hippokratische *philia der* Koexistenz moralischer Fremder weicht, ein Zustand, den Engelhardt als reale Realität in der postmodernen Gesellschaft darstellt, in der eine säkulare Moral vorherrscht (ENGELHARDT,T. 1998). Im paternalistischen Modell agierte der Mediziner als einzige Person, die für den Patienten verantwortlich war, indem er die Verfahren beschloss und umsetzte, die er für den kranken Menschen unter seiner Obhut als am nützlichsten erachtete. Obwohl er sich von den technischen und moralischen Imperativen leiten ließ, die dem besten Interesse des Patienten dienen sollten, behielt er sich das Recht vor, Entscheidungen auf der Grundlage seines persönlichen Urteils und seiner Kompetenz zu treffen.

Um die möglichen Schwächen des paternalistischen und des autonomen Modells zu verdeutlichen, stellen wir zwei hypothetische Fälle vor, in denen es um die Entscheidung für eine Hysterektomie in unterschiedlichen klinischen Situationen geht, die jedoch in der täglichen Arbeit von Angehörigen der Gesundheitsberufe durchaus üblich sind.

Fall 1: Frau X, 32 Jahre alt, verheiratet, dritte Schwangerschaft, wurde für einen Kaiserschnitt in den Operationssaal überwiesen. Während des Eingriffs, nachdem der Fötus entfernt worden war, stellte der Chirurg eine leichte Uterusmyomatose fest, die seiner Meinung nach für die schwer zu kontrollierende transoperative Blutung verantwortlich sein könnte. In Anbetracht der Tatsache, dass das Paar vermutlich keinen weiteren Nachwuchs mehr wünschte, beschloss der Arzt nach kurzer Beratung mit dem Ehemann der Patientin, eine Hysterektomie durchzuführen.

Fall 2: Frau Y, 33 Jahre alt, geschieden, mit einer früheren Diagnose einer leichten Uterusmyomatose, stellt sich bei ihrem Gynäkologen vor und berichtet, dass sie sehr unter wiederholten Episoden prämenstrueller Spannungen und anhaltender Metrorrhagie leidet, und bittet ihn, eine Hysterektomie durchzuführen, um ihr das Leiden zu ersparen, das ihre Lebensqualität beeinträchtigt. Die Fachkraft war zwar der Ansicht, dass es keine formale Indikation für den Eingriff gab, da es andere therapeutische Alternativen gab, stimmte der Patientin jedoch zu und entfernte die Gebärmutter vaginal, ohne dass es zu postoperativen Komplikationen kam, so dass sie vorzeitig aus dem Krankenhaus entlassen werden konnte. Zwei Jahre später äußerten beide Patientinnen aus sehr unterschiedlichen Gründen den Wunsch, wieder schwanger zu werden. Frau X, die ihr drittes Kind durch Ertrinken im Schwimmbad des Hauses, in dem sie wohnte, verloren hatte, und Frau Y, die eine neue eheliche

Beziehung mit einem jungen Witwer eingegangen war, äußerten den Wunsch, schwanger zu werden, um den Wunsch ihres Mannes zu erfüllen, der der Ansicht war, dass ein Kind ein wesentliches Element zur Vervollständigung des Glücks des Paares sei.

Im Fall von Frau X folgte die Entscheidungsfindung dem paternalistischen Modell, während der Arzt im Fall von Frau Y ihren Wünschen zustimmte, auch wenn das Verfahren nicht der besten klinischen Praxis entsprach, kurz gesagt, der autonome Wille der Patientin überwog. Betrachten wir als Denkanstoß einen neuen Weg, der der Entscheidungsfindung vorausgeht und darin besteht, mit den Patienten das zu fördern, was wir in der klinischen Bioethik einen deliberativen Prozess nennen. In diesem Modell, das wir für das geeignetste halten, führen Arzt und Patient vor einer Entscheidung einen professionellen Dialog, in dem sie alle möglichen Alternativen abwägen und dabei alle Risiken und Vorteile der einzelnen Therapievorschläge berücksichtigen. Dies könnte man als kooperative Entscheidungsfindung bezeichnen, die von zwei "moralischen Freunden" getroffen wird. Obwohl wir wissen, dass selbst nach einem langen Abwägungsprozess, der in beiden Fällen zur Entscheidung über die Hysterektomie führte, die endgültigen Optionen dieselben sein könnten wie die ursprünglich angenommenen, ist es zwingend notwendig zu erkennen, dass die bloße Betrachtung aller möglichen Alternativen zu anderen, vernünftigeren und umsichtigeren Entscheidungen führen könnte. Hätte Frau X beispielsweise die Möglichkeit gehabt, die Indikation für eine Hysterektomie richtig einzuschätzen und sich dazu zu äußern, wäre es dann nicht vernünftig gewesen, sich für die Erhaltung ihres Organs zu entscheiden? Und was ist mit Frau Y, wenn ihr andere Vorschläge für eine konservative Therapie vorgelegt worden wären, ohne Zwang und mit größerer Überzeugungskraft seitens des Fachmanns, ist es da nicht plausibel, dass sie diese vielleicht akzeptiert hätte? Unabhängig von den Antworten auf die obigen Fragen steht eines fest: Ein respektvoller und erschöpfter Dialog, der für alle Beteiligten keine Zweifel aufkommen lässt, scheint der beste Weg zu sein, um zu möglichst vernünftigen und umsichtigen Entscheidungen zu gelangen. Dies ist das

Modell, das die Bioethik vorschlägt, um klinische Entscheidungen zu treffen, die den Tatsachen aus der wissenschaftlichen Forschung und den menschlichen Werten Rechnung tragen, da die evidenzbasierte Medizin allein nicht ausreicht, um den Fall des **Sollens zu** bestimmen, der die höchste Ebene der moralischen Pflicht darstellt. Andererseits ist die ordnungsgemäße Anwendung des Formulars zur informierten Zustimmung in der klinischen Praxis für uns relativ neu. Wir können ohne Bedenken sagen, dass es insbesondere in Brasilien nicht ungewöhnlich ist, dass invasive diagnostische Verfahren oder sogar größere Operationen durchgeführt werden, ohne dass die Patienten ordnungsgemäß aufgeklärt werden. Bei einer Routineuntersuchung in der kardiologischen Ambulanz eines Universitätskrankenhauses kommt es nicht selten vor, dass der behandelnde Arzt, der einen Patienten mit einer mittleren Thorakotomienarbe vor sich hat, auf die Frage nach der Art des durchgeführten chirurgischen Eingriffs vom Patienten eine kurze Antwort erhält: "Bei mir wurde eine Herzklappe ersetzt". Auf die Frage nach dem Modell und der Position der verwendeten Prothese lautet die Antwort häufig: "Ich weiß es nicht, der Arzt hat es mir nicht gesagt". Die Einholung einer informierten Zustimmung in einer Klinik ist zwar ein obligatorisches Verfahren, sollte aber immer in einem kompetenten und aufklärenden Dialog erfolgen, damit die persönliche Würde des Patienten respektiert wird. Die moderne Gesellschaft verlangt von den Angehörigen der Gesundheitsberufe, dass sie die Kompetenz der Patienten anerkennen, Entscheidungen über diagnostische und therapeutische Eingriffe am eigenen Körper zu treffen. Leider gibt es immer noch häufig Haltungen von Fachleuten, die bescheidene, wenig gebildete Menschen für unfähig halten, Erklärungen zu medizinischen Verfahren zu verstehen. Sie schaffen es nicht oder bemühen sich nicht einmal darum, wirklich mit der Person zu kommunizieren, die, der elementarsten Bürgerrechte beraubt, sich stumm vor der autoritären Haltung der Fachleute beugt. Welcher Mediziner kennt nicht den Fall, in dem ein Diabetiker mit obstruktiver peripherer arterieller Verschlusskrankheit auf die Frage des Gefäßchirurgen nach der Indikation zur Amputation seines Beins die lakonische Antwort erhielt: "Bitte verstehen Sie, dass ich über zwanzig Jahre lang studiert habe, um alle Details dieser Operation zu kennen, also seien Sie beruhigt und überlassen Sie es mir, zu wissen, was das Beste für Sie ist!" Es muss jedoch bedacht werden, dass, wenn das paternalistische Verhalten des Fachmanns, der das Recht des Patienten, Entscheidungen über Eingriffe am eigenen Körper zu treffen, nicht anerkennt, verwerflich ist, die "Pilatus-Haltung" des Arztes, der einfach alle Entscheidungen in den Verantwortungsbereich des Patienten überträgt, ohne zuvor einen klärenden Dialog geführt zu haben, ebenso unverantwortlich ist. Die Angehörigen der Gesundheitsberufe müssen sich darüber im Klaren sein, dass die Zustimmung des Patienten zu einem Eingriff nur dann moralisch vertretbar ist, wenn ihr ein respektvoller und aufklärender Dialog über alle Risiken und Vorteile der vorgeschlagenen medizinischen Indikationen vorausgegangen ist. Darüber hinaus setzt die Aufklärung des Patienten nicht nur eine interaktive Haltung voraus, sondern auch, dass der Arzt die biografische Vorgeschichte des Patienten ausreichend kennt. Die moderne Medizin lebt mit einer deutlichen Zunahme chronischer Krankheiten und einer Vielzahl von diagnostischen und therapeutischen Möglichkeiten, die jeweils ihre eigenen Risiken und Vorteile haben, was den Entscheidungsprozess sehr komplex macht. Zwischen der paternalistischen Haltung des Fachmanns und der Entscheidungsfindung des unzureichend informierten Patienten liegt die Klugheit bei der Suche nach den besten und vernünftigsten Alternativen, die von beiden durch den deliberativen Prozess ermittelt werden. Ursprünglich als Instrument gedacht, das es den Patienten ermöglichen sollte, freie und autonome Entscheidungen zu treffen, wird das Einwilligungsformular derzeit nur unzureichend als formales Verfahren zur Erlangung eines Instruments betrachtet, das den Angehörigen der Gesundheitsberufe Rechtsschutz vor möglichen Klagen der Patienten oder ihrer Familien bietet. Neben der Bereitstellung ausreichender und verständlicher Informationen sollten die Ärzte nicht zulassen, dass durch den Druck von Familienmitgliedern klinische Entscheidungen getroffen werden, die Erwartungen entsprechen, die nicht den

Interessen des Patienten selbst entsprechen. Andererseits ist die Strategie, den Patienten unvollständige Informationen zu geben, um ihnen die Akzeptanz von diagnostischen oder therapeutischen Entscheidungen zu erleichtern und zu beschleunigen, die aus der Sicht des Arztes als wissenschaftlich vorteilhafter angesehen werden, moralisch nicht vertretbar. Diese verwerfliche Art der Manipulation wird auch von Familienmitgliedern praktiziert, die das letzte Wort über die Behandlung ihrer kranken Angehörigen haben wollen. Der so genannte "Pakt des Schweigens", eine Vereinbarung zwischen medizinischen Fachkräften und Familienmitgliedern, die darauf abzielt, dem Patienten Informationen vorzuenthalten, die von vornherein als schädlich für das emotionale Gleichgewicht des Kranken angesehen werden, ist immer noch eine gängige Praxis. Einige Fachleute nennen dies eine fromme Lüge. Es ist jedoch zu bedenken, dass eine Lüge immer schädlich für den Patienten ist, der sich, da er seine autonomen Entscheidungen nicht mehr äußern kann, respektlos behandelt und auf den moralischen Zustand der Unfähigkeit reduziert fühlt. Es liegt auf der Hand, dass die Fachkräfte darin geschult werden müssen, dem Patienten eine gute Nachricht zu überbringen, und dass sie sich dabei an die in der medizinischen Fachliteratur festgelegten Protokolle halten müssen. Viele medizinische Fakultäten haben bereits Workshops in ihre Lehrpläne aufgenommen, um die Studenten zu befähigen, bessere Nachrichten zu übermitteln. Auch wenn einige Fachleute die Verwendung von frommen Lügen immer noch für zulässig halten, sind wir weit davon entfernt, den Rat von Gregorio Maranon anzunehmen, der in den 1940er Jahren seinen Studenten beibrachte *"Der Arzt muss also lügen, und zwar nicht nur aus Nächstenliebe, sondern im Dienste der Gesundheit! Wie oft nützt eine Ungenauigkeit, die absichtlich in den Geist des Kranken eingepflanzt wird, mehr als alle Medikamente im Arzneibuch!"* (MARANON, G., 1947)

Der Patient fragt nicht nach frommen Lügen, sondern nach frommen Wegen, sich der Wahrheit zu nähern. Es ist auch wichtig zu bedenken, dass der Weg auf der Suche nach der Wahrheit von Mensch zu Mensch und zu verschiedenen Zeiten im Leben sehr unterschiedlich ist. Jede Krankheit bringt ein unterschiedliches Maß an persönlicher Unsicherheit mit sich und errichtet Hindernisse für die Klarheit, die der Mediziner unbedingt erkennen muss. Sowohl die fromme Lüge als auch die unzeitgemäße Wahrheit, die der Patient erfährt, zeigen nur, dass die Fachkraft nicht bereit ist, eine respektvolle intersubjektive Beziehung zum Patienten aufzubauen. Der Informationsfluss in der Arzt-Patienten-Beziehung muss also dem Respekt vor den Schwächsten unterworfen sein und sich in Handlungen der Loyalität und der authentischen Partnerschaft materialisieren, und zu diesem Zweck gibt es keinen anderen Weg als die ständige Ausübung des deliberativen Prozesses, um klinische Entscheidungen zu treffen. Es ist wichtig zu betonen, dass es dem Patienten obliegt, die Form, das Tempo und die Grenzen der Offenlegung von Informationen über seine Krankheit zu bestimmen, und dass es dem Fachmann obliegt, den Zweifeln und Unsicherheiten des Patienten und seiner Familie gegenüber aufmerksam zu sein. Diese Praxis sollte mit ausreichend Zeit für eine ständige Neubewertung aller früheren Entscheidungen durchgeführt werden und, wann immer möglich, auf einvernehmliche Weise erfolgen. Es gibt jedoch besondere Situationen, in denen nicht alle Phasen dieses Prozesses durchlaufen werden können, wie z. B. bei dringenden Behandlungen, in denen es notwendig ist, schnell eine spezielle Pflege zu installieren, um die Lebensfunktionen des Kranken aufrechtzuerhalten. Gleiches gilt für die Betreuung durch bestimmte Fachärzte in Notfallsituationen, wie Anästhesisten und Intensivmediziner, die fast nie genug Zeit haben, um einen Dialog mit dem Patienten zu führen. Eine weitere Situation, die es zu berücksichtigen gilt, ist die, in der der Patient ohne jeden äußeren Zwang spontan beschließt, die Verantwortung für die Entscheidungsfindung an die medizinische Fachkraft zu übertragen. Diese Art der Übertragung von Befugnissen sollte nicht als Verlust der Autonomie des Patienten angesehen werden. Es sollten auch besondere Umstände berücksichtigt werden, unter denen es notwendig ist, Personen, die mit den moralischen Werten oder Überzeugungen des Patienten besser vertraut sind, z. B. ethnischer, religiöser oder kultureller Art, am Entscheidungsprozess teilhaben zu lassen, sofern die Patienten selbst ausdrücklich zustimmen. Die Angehörigen der Gesundheitsberufe sollten sich solchen Beiträgen nicht widersetzen. Kurz gesagt, die Arzt-Patienten-Beziehung sollte in einem einzigartigen Dialog geführt werden, der mit der persönlichen Schilderung des Leidens des Patienten beginnt, gefolgt von aktivem Zuhören, sorgfältiger körperlicher Untersuchung und schließlich diagnostischen und therapeutischen Entscheidungen, die nicht nur auf dem Kanon der evidenzbasierten Medizin beruhen, sondern auch die moralische Wertewelt des Patienten berücksichtigen. Es kann sich niemals um eine Begegnung zwischen einem Techniker und einem kranken Körper handeln, sondern vielmehr um eine Begegnung zwischen zwei Menschen, die sich trotz ihrer unterschiedlichen biografischen Geschichte als "moralische Freunde" erkennen, die gegenseitigen Respekt pflegen.

3 EINE KURZE ÜBERLEGUNG ZUM NEUEN PARADIGMA

Das Nachdenken über die Kunst der Pflege ist unerlässlich, insbesondere um den neuen Bedingungen gerecht zu werden, die sich aus dem Übergang vom kartesianischen Modell zur klinischen Entscheidungsfindung auf der Grundlage einer dialogischen Ethik ergeben. Das Nachdenken über die Rolle der einzelnen Akteure, des medizinischen Personals und des Patienten, in diesem neuen Szenario ist eine notwendige Aufgabe für eine erfolgreiche medizinische Versorgung. Das Wort Behandlung kommt aus dem Griechischen *"therapeia"* und bedeutet Dienstleistung. Die Kunst der Pflege drückt sich also in der Dienstleistung aus, die der Mediziner für den Patienten erbringt. Das Modell, das jetzt überwunden werden muss, konzentriert sich auf die Pflege, die sich auf die Krankheit konzentriert; das sich abzeichnende Paradigma konzentriert sich auf die Pflege des ganzen Patienten und berücksichtigt, dass Krankheit nicht auf das Leiden eines Organs beschränkt ist, sondern das gesamte Leiden des Menschen. In den Studiengängen der Gesundheitswissenschaften werden nach wie vor Spezialisten für die Behandlung von Krankheiten ausgebildet, während die Gesellschaft nach Fachleuten ruft, die erkennen, dass jede Krankheit, die einen Menschen betrifft, in ihrer biopsychosozialen und spirituellen Gesamtheit auftritt. Krankheit muss als ein Zustand des Ungleichgewichts in der menschlichen Gesundheit wahrgenommen werden, und die wahre Kunst der Fürsorge zielt darauf ab, das verlorene Gleichgewicht wiederherzustellen.

Rene Descartes soll einmal gesagt haben, dass er nur die Bewegungen und Geschwindigkeiten der Himmelskörper zu kennen brauchte, um das Universum konstruieren zu können. Die moderne Physik hat nach der Entdeckung der Heisenbergschen Unschärferelation und der Einsteinschen Relativitätstheorie die mechanistische These, die alle wissenschaftlich beobachtbaren Phänomene auf pragmatische Weise mit logisch-mathematischem Wissen erklären wollte, endgültig zu Grabe getragen. Im Bereich der Gesundheit reduzierte der Kartesianismus den Menschen auf eine Reihe von biologischen Variablen, die in Systeme und Apparate unterteilt sind: Kreislauf, Atmung, Verdauung, Neurologie, Fortpflanzung usw. Die

Fortschritte in den Neurowissenschaften haben die Existenz von Neurotransmittern und Rezeptoren aufgedeckt, die durch chemische Botenstoffe die Kommunikation zwischen dem Nerven-, Immun- und Hormonsystem fördern und zeigen, dass der Mensch viel komplexer ist als ein Haufen nebeneinanderliegender Organe.

Um diese neue Realität besser zu verstehen, ist es notwendig, sich der Komplexitätstheorie von Edgar Morin zuzuwenden (MORIN,E, 1995). Die Fachleute des Gesundheitswesens müssen daher die kartesische Lupe aufgeben und erkennen, dass sie immer mit der neuen Herausforderung konfrontiert sein werden, den Menschen als *"homo systemus" zu* erkennen, der seine persönlichen Grenzen durch vielfache Interaktionen mit anderen *"homo systemus"* in einer immensen Vielfalt von sozialen Umfeldern, Ereignissen, Entscheidungen, Verlusten und Verzicht erlebt, und dass sowohl Gesundheit als auch Krankheit Situationen sind, die unverstanden bleiben, wenn nicht alle diese Variablen integriert werden.

Hans-Georg Gadamer, Professor für Hermeneutik an der Universität Frankfurt, wies auf die Bedeutung des Wortes *Sprechstunde hin,* das sich aus *sprechen* und *stunde* *zusammensetzt.* Er vertrat die Auffassung, dass der Akt der Fürsorge, der in der Begegnung zwischen Arzt und Patient enthalten ist, von dem Imperativ der "Sprechstunde" geleitet werden sollte*: "Die Störung der Gesundheit macht die Behandlung notwendig. Ein Teil der Behandlung ist der Dialog. Der Dialog fördert die Humanisierung der Beziehung zwischen [Fachkraft] und Patient. Solche ungleichen Beziehungen gehören zu den schwierigsten Aufgaben, die zwischen Menschen zu bewältigen sind (...) Das Wort Dialog impliziert bereits, dass man mit jemandem spricht, [der] auf seinen Gesprächspartner antwortet (...) Auf jeden Fall ist der Dialog in der Medizin keine einfache Einführung und Vorbereitung für die Behandlung, er ist bereits Behandlung."* (GADAMER, H.G., 2006). Seltsamerweise heißt das neue Paradigma, das für dieses Jahrtausend vorgeschlagen wird, das die komplexesten technowissenschaftlichen Fortschritte in der Geschichte der Menschheit mit sich bringt, einfach nur **Dialog**. Nachdem wir so viel hermetisches Wissen gepriesen haben, müssen wir uns auf die Zeit des Sprechens und Zuhörens vorbereiten. In dieser Hinsicht gibt es keinen besseren Weg, als zum Modell der sokratischen *Maieutik* zurückzukehren, die den Dialog als Werkzeug zur Suche nach der Wahrheit einsetzt. Um diesen Weg zu veranschaulichen, kehren wir zu dem sehr aktuellen Dialog zwischen Sokrates und Phaidon zurück, in dem es um die Rhetorik und die ärztliche Kunst geht:

- *Sokrates:* Mit der Rhetorik verfahren wir wie mit der Kunst der Medizin.

- *Fedon:* Warum?

- *Sokrates:* In beiden muss man die Natur, den Körper einerseits, die Seele andererseits, zersetzen, wenn man will, nicht nur auf konventionelle Weise und auf der Grundlage einfacher Routine, sondern mit Kunst und Kraft durch den Gebrauch von Medikamenten und Ernährung und, im Falle der Rhetorik, durch gute Ratschläge und heilige Bräuche, um die Tugend und die Überzeugung zu vermitteln, die man will.

- *Fedon: Offenbar* ja, Sokrates.

- *Sokrates:* Glaubst du, dass du die Natur der Seele richtig verstehen kannst, ohne die ganze Natur zu verstehen?

- *Phaedon:* Wenn man Hippokrates, dem Äskulapisten, Glauben schenkt, können wir ohne ein solches Verfahren nicht einmal die Natur des Körpers verstehen. (PLATO, 1972)

Ebenso wichtig ist es, von den Lehren zu lernen, die in den Versen von T.S. Eliot enthalten sind. Zeitlich durch vierundzwanzig Jahrhunderte getrennt, lehren uns der Philosoph und der Dichter, dass wir, um die Kunst der Pflege gut auszuüben, mit Einsicht und Weisheit zu unseren Ursprüngen zurückkehren müssen, denn nur wenn wir den kranken Menschen mit Empathie empfangen, werden wir wissen, wie wir unser berufliches Handeln richtig ausüben können:

"Wir werden nie aufhören, die Vorteile der

Und am Ende all unserer Erkundungen

Es wird zum Startpunkt kommen

Und der Ort erkennt immer noch

Genau wie beim ersten Mal, als wir ihn sahen.

Durch die unbekannte, erinnerte Tür

Wenn das letzte Fleckchen Erde

Bleibt für uns zu entdecken

Das war der Anfang

An den Hängen des längsten Flusses

Die Stimme des verborgenen Wasserfalls (...)

Beeil dich jetzt, hier, jetzt, immer

Eine Bedingung der absoluten Einfachheit (...)" (T.S.ELIOT,1981)

Referenzen

ALVES, R. *Entre a Ciencia e a Sapiencia: o dilema da educagao.* Sao Paulo: Loyola, 2001

ALVES, R. *Der Arzt.* Campinas: Papirus, 2003 BOFF, L. *Saber Cuidar.* Sao Paulo: Vozes,1999 a . *Etica da Vida.* Brasilia : Letraviva,1999 b . *Das Prinzip des Mitgefühls und der Fürsorge.* Petropolis: Vozes, 2001 CIRET-UNESCO. *Welche Universität für morgen? Auf der Suche nach einer transdisziplinären Entwicklung der Universität.* Locarno: Ciret-Unesco, 1997 DESCARTES, R. *Discurso del Metodo.* Mexiko: Parrua, 1984

ENGELHARDT , T. *Fundamentos de Bioetica.* Sao Paulo : Loyola, 1998

ENTRALGO, P.L. *La relacion medico-enfermo.* Madrid : Alianza Editorial,1983 . *Wissenschaft, Technik und Medizin.* Madrid: Alianza Editorial,1986 . *Wesen und Verhalten des Menschen.* Madrid: Espasa,1996 FOUCAULT, M. *O Nascimento da Clinica.* Rio de Janeiro: Forense Universitaria, 1998

GADAMER, HG. *Die verborgene Natur der Gesundheit.* Petropolis: Vozes, 2006

GAILLARD, J.R. *O medico do futuro: para uma nova logica medica.* Lissabon: Instituto Piaget, 1995

LOWN, B. *Die verlorene Kunst des Heilens.* Sao Paulo: JSN Editora,1997

MARANON, G. *Vocation y Etica y otros ensayos.* Madrid : Espasa Calpe,1947

MARCUSE, H. *One dimensional man: studies in the ideology of advanced industrial society.* Boston: Beacon,1964

MORIN,E. *Einführung in komplexes Denken.* Lissabon: Instituto Piaget, 1995 DIE MEDIZIN UND DIE GESUNDHEIT IN BRASILIEN, Bundesrat für Medizin, Brasilia, 1998

PERFIL DOS MEDICOS NO BRASIL ,vol.IV. Rio de Janeiro, Fiocruz/CFM/MS/PNUD,1996

PLATO *Sammlung Die Denker, Bd. III.* Sao Paulo : Abril,1972

RIEFF, P. *O triunfo da terapeutica.* Sao Paulo : Editora Brasiliense,1990

ROZENMAN,Y. *Wo ist die gute alte klinische Diagnose geblieben?* New Engl J Med,336:1435-1438,1997

SCHEFFER,M. *Medizinische Demographie in Brasilien.* Brasilia : Federal Council of Medicine, 2018

INTERNATIONALES SEMINAR ÜBER DEN ARZTBERUF. Bundesrat für Medizin, Brasilia, 1997

SFEZ,L. *A saúde perfeita: cntica de uma nova utopia* .Sao Paulo : Loyola,1996

SIQUEIRA,J.E. *Etica e Tecnociencia: uma abordagem segundo o Principio de Responsabilidade de Hans Jonas.* Londrina :EDUEL,1998

---------------- . *Bioethik-Ausbildung in der medizinischen Fakultät* The World of Health, Jahrg. 29,v. 29,n.3,Juli/September,402-410,2005

T.S.ELIOT *Poesie.* Rio de Janeiro : Nova Fronteira,1981

4 DIE MODERNE UND DIE ENTSTEHUNG DER ANGEWANDTEN ETHIK

"Die Herausforderung für die künftige Bioethik besteht darin, dass wir mehr technologisches Wissen besitzen als je zuvor, aber nicht wissen, wie wir es nutzen sollen, und die Krise unserer Zeit besteht darin, dass wir eine unerwartete Macht erlangt haben und sie im Chaos einer posttraditionellen, postkritischen und postmodernen Welt nutzen müssen." (ENGELHARDT, T.,1998)

Die traditionellen ethischen Modelle, die bis zum 19. Jahrhundert vorherrschten, waren durch die Betonung von menschlichen Handlungen gekennzeichnet, die dem kantischen kategorischen Imperativ entsprachen. Die Suche nach einer Universalisierung der moralischen Handlungen von Männern und Frauen, die in Gemeinschaften leben, die in ihren Bräuchen heterogen sind, machte es fast unmöglich, sich einen Imperativ der menschlichen Vernunft vorzustellen, der die Bedingung des universellen Seins, wie sie von Immanuel Kant vorgeschlagen wurde, in Betracht ziehen könnte (KANT, I., 1985). Es bedurfte zweier Weltkriege, um die harte Realität zu begreifen, die Freud als "Todestrieb" bezeichnete, eine psychologische Bedingung, die dem Menschen ein obskures Verlangen nach Selbstvernichtung verlieh, das durch Heterozerstörung externalisiert wurde. Auf diese Weise wäre es unvernünftig, allen menschlichen Handlungen einen universellen moralischen Wert zuzuschreiben, da viele von ihnen die Externalisierung des Impulses zur Zerstörung anderer darstellen würden, als Ersatz für den Wunsch nach eigener Selbstvernichtung (FREUD, S., 1981).

Bis zum 19. Jahrhundert besaß die Natur eine echte normative Kraft, und die menschliche Freiheit war vollständig einem natürlichen und unveränderlichen Horizont unterworfen. Ab der zweiten Hälfte des 20. Jahrhunderts wurde deutlich, dass der *technisch-wissenschaftliche* Fortschritt die Eigenschaften einer nahezu unbegrenzten Macht zur Umgestaltung der menschlichen und außermenschlichen Natur annahm und den *homo sapiens* vollständig dem *homofaber* unterwarf. Andererseits wurde die Beziehung zwischen Technik und Wissenschaft dominant, und das Produkt dieser Verbindung - die Technowissenschaft - erlangte außergewöhnliche Kräfte und brachte Fortschritte hervor, die eine solche Autonomie erlangten, dass es als unnötig erachtet wurde, sie einer ethischen Beurteilung zu unterziehen. In einem berühmten Vortrag über die Krise der europäischen Wissenschaft und der transzendentalen Phänomenologie hat Husserl bereits die Existenz eines "blinden Lochs" im wissenschaftlichen Objektivismus festgestellt, das er damals *"die Leere des Bewusstseins an sich"* nannte. (HUSSERL,E.,1994)

Seitdem die menschliche Subjektivität (die der Psychologie und der Philosophie vorbehalten ist) von der Objektivität des Wissens (die als ausschließliches Gebiet der Wissenschaft betrachtet wird) geschieden ist, wird die Entwicklung von raffinierten Technologien zur Entschlüsselung der Geheimnisse der Natur privilegiert. Dieser Zustand wurde von Morin kritisiert, der ihn als *"Ignoranz gegenüber der Ökologie des Handelns"* (MORIN, E., 1993) bezeichnete, da von dem Moment an, in dem der Prozess der Suche nach Wissen beginnt, die Kontrolle über die darauf folgenden Handlungen sich der Kontrolle des Forschers entzieht und beginnt, von Akteuren außerhalb des Bereichs der Wissenschaft durchgeführt zu werden, die beginnen, andere Ziele als die ursprünglich angedachten zu definieren. Es wäre müßig, Beispiele für diese Abweichung aufzuzählen; es genügt, daran zu erinnern, daß die Erkenntnisse, die durch die bei der Kernspaltung freigesetzte Energie gewonnen wurden, neben anderen edlen wissenschaftlichen Initiativen die Herstellung der Atombomben ermöglichten, die auf Hiroshima und Nagazaki abgeworfen wurden.

Andererseits ist es wichtig zu erkennen, dass die Grundlagen der modernen Wissenschaft ihre Wurzeln im 17. Jahrhundert haben, bei Rene Descartes und Francis Bacon, die die operative Kraft der Wissenschaft betonten. In "De l' Avancement des Sciences", das 1603, kurz vor seinem Tod, veröffentlicht wurde, ermutigte Bacon die Menschen, ihre Kräfte zu vereinen, *"um die Natur zu beherrschen, ihre Burgen und Schlösser zu stürmen und zu besetzen."* (BACON, F., 1999). In der Tat taten die Männer der Wissenschaft alles, um auf Bacons Vorschlag zu reagieren. So entstand ein neues Modell der Zusammenarbeit zwischen Technik und Wissenschaft, bei dem jede wissenschaftliche Forschung in einem engen Dialog zwischen der Suche nach Wissen und seiner praktischen Anwendung, zwischen der Theorie und der Nutzung des daraus hervorgegangenen Produkts erfolgt.

Zu diesem Thema hat sich Popper Gedanken gemacht:

"Die Geschichte der Wissenschaft ist, wie die aller menschlichen Ideen, eine Geschichte von unverantwortlichen Träumen, Eigensinn und Fehlern. Die Wissenschaft ist jedoch eine der seltenen menschlichen Tätigkeiten, vielleicht die einzige, bei der Fehler systematisch aufgezeigt und im Laufe der Zeit ständig korrigiert werden". (POPPER,K. 1972)

Im 20. Jahrhundert erkannten wir, dass es angesichts der möglichen Schädigung der menschlichen und außermenschlichen Natur durch den technowissenschaftlichen Fortschritt zwingend notwendig war, dass die Wissenschaft neben der Gewinnung neuer Erkenntnisse auch die notwendigen und umsichtigen Beiträge ethischer Überlegungen über lebenswichtige Werte aufnimmt. Es fehlte nicht an Denkern wie Ralph Lapp, der von Alvin Toffler in "The Shock of the Future" zitiert wird, die es für unabdingbar hielten, den unkontrollierten Fortschritt der Technowissenschaften zu bremsen.

Lapp verwendete die folgende Metapher:

"Wir befinden uns in einem Zug, der ständig an Geschwindigkeit gewinnt und auf einem Gleis fährt, auf dem es unzählige Steuerungen gibt, die zu unbekannten Zielen führen. Kein einziger Wissenschaftler sitzt im Cockpit, und es ist möglich, dass sich Dämonen in der Schalttafel befinden. Der größte Teil der Gesellschaft sitzt auf dem letzten Platz und blickt nach hinten. (TOFFLER, A. 1973)

Toffler selbst war nachdenklicher und vertrat die Ansicht, dass es naiv und unklug wäre, der Technologie den Rücken zu kehren. Wichtig sei es, eine wirksame Strategie zu entwickeln, um das zu vermeiden, was er den "Schock der Zukunft" nannte. Gilbert Hottois, ein belgischer Bioethiker, vertrat ebenfalls die Ansicht, dass *"sowohl die obskurantistische Ablehnung als auch die rücksichtslose Verherrlichung der Technowissenschaften der Lebensqualität künftiger Generationen schaden könnten"*. *Es ist* wichtig zu bedenken, dass nur der Mensch in der Lage ist, den Lauf der Geschichte durch sein Handeln und seine Entscheidungen zu verändern, die einer sorgfältigen ethischen Reflexion unterzogen werden müssen. Diese Verantwortung erlegt jedem - insbesondere den Wissenschaftlern, die an der Produktion von Wissen beteiligt sind - Pflichten auf, die die Erhaltung der menschlichen Existenz in ihrer authentischen Form berücksichtigen. Angesichts der Macht der Transformation und des Bewusstseins über die möglichen Schäden, die durch unüberlegte Handlungen verursacht werden können, wird diese Verpflichtung noch wesentlich größer (HOTTOIS, G. 1991).

Es ist wichtig zu bedenken, dass nur der Mensch in der Lage ist, den Lauf der Geschichte durch sein Handeln zu verändern. Auf einer Straße, die sich gabelt, hat nur der Mensch eine Wahl. Die Wege können unterschiedlich sein, ebenso wie das Endziel, denn ein Weg kann an einem Abgrund oder an einer Quelle reinen Wassers enden. Genau an diesen Gabelungspunkten stellt sich die Frage nach der Wahl, die nur in einem interdisziplinären dialogischen Prozess unter Einbeziehung von Vertretern aus allen Wissensbereichen angemessen sein kann. Diese Verantwortung erlegt allen an der Wissensproduktion beteiligten Wissenschaftlern Pflichten auf, die der Erhaltung der menschlichen Existenz in ihrer authentischsten Form Rechnung tragen. Die Verpflichtung wird durch die Kraft der Transformation und das Bewusstsein über alle möglichen Schäden, die durch unüberlegtes Handeln entstehen können, deutlich größer. Die Erhaltung des Lebens in seiner Fülle ist die Voraussetzung für das Überleben des Menschen, und im Zusammenhang mit dieser solidarischen Bestimmung spricht Hans Jonas, Autor von "Das Prinzip Verantwortung", von der Würde der Natur. Die Natur zu bewahren, so Jonas, bedeutet, das Leben in seiner ursprünglichsten Form zu bewahren (JONAS, H. 1995).

In diesem Zusammenhang sei auf den Warnruf von Edgar Morin und Anne Brigitte Kern hingewiesen, der in ihrem Buch "Terra-patria" beschrieben wird:

"Hier die schlechte Nachricht: Wir sind verloren, unwiederbringlich verloren. Wir sind verloren, aber wir haben ein Dach über dem Kopf, ein Haus, ein Heimatland. Es

ist unsere Heimat, der Ort unserer Schicksalsgemeinschaft, von Leben und Tod. Das Evangelium der verlorenen Menschen sagt uns, dass wir Brüder sein müssen, nicht weil wir gerettet werden, sondern weil wir verloren sind". (MORIN, E. KERN,A.B,1995).

Außerdem sind die schädlichen Auswirkungen auf die menschliche Gesundheit, die sich aus der Verschlechterung der Umwelt ergeben, bekannt. Die Zukunft mag nicht realisiert werden, aber sie zeigt sich in der Gegenwart als Charakterisierung eines Unglücks, als eine Perspektive des Unerwünschten, die uns auf beredte Weise die Notwendigkeit vor Augen führt, ein neues Statut der Verantwortung zu entwerfen, das auf die Erhaltung des menschlichen Lebens und des Planeten ausgerichtet ist.

Ilya Prigogine, Nobelpreisträger für Chemie, spricht in seinem Buch "Das Ende der Gewissheiten" ebenfalls von der Notwendigkeit eines Dialogs zwischen Wissenschaft und Natur. Der Autor ist der Ansicht, dass "verstehen" nicht "kontrollieren" bedeuten kann, denn:

"Der Herr, der glaubte, seine Sklaven zu kennen, nur weil sie seine Befehle befolgten, wäre blind [...]. Keine [wissenschaftliche] Spekulation, kein Wissen hat jemals die Gleichwertigkeit zwischen dem, was gemacht wird, und dem, was nicht gemacht wird, zwischen einer Pflanze, die geboren wird, blüht und stirbt, und einer Pflanze, die wiederaufersteht, sich verjüngt und zu ihrem ursprünglichen Samen zurückkehrt, zwischen einem Menschen, der reift und lernt, und [dem], der nach und nach zu einem Kind, dann zu einem Embryo, dann zu einer Zelle wird, bestätigt". (PRIGOGINE, I., 1996).

Andererseits ist es wichtig zu erkennen, dass die gegenwärtigen Sorgen über das ökologische Ungleichgewicht auch auf das fast nicht existierende System der Umweltbuchhaltung zurückzuführen sind. Das international anerkannte System zur Erfassung des wirtschaftlichen Fortschritts einer Nation, das so genannte Bruttoinlandsprodukt (BIP), berücksichtigt nicht die Wertminderung des "natürlichen Kapitals", wie den Verlust fruchtbarer Böden durch Erosion, den wahllosen Einsatz von Agrochemikalien oder die Abholzung von Wäldern.

Giovane Berlinguer, ein italienischer Bioethiker, hat in seinem Buch "Fragen des Lebens: Ethik, Wissenschaft und Gesundheit" seine Empörung über den unkontrollierten Galopp der Technowissenschaften zum Ausdruck: *"Die Geschwindigkeit, mit der wir von der reinen zur angewandten Forschung übergehen, ist heute so hoch, dass die Permanenz von Irrtümern oder Betrügereien, und sei es auch nur für eine kurze Zeit, zu Katastrophen führen kann."* (BERLINGUER, G.,1993)

In *"Global Bioethics: building on the Leopold Legacy"* (Globale Bioethik: auf dem Erbe Leopolds aufbauend) befasste sich Van Rensellaer Potter, der Schöpfer *des* Neologismus *Bioethik, mit* der Frage der Verantwortung bei der Suche nach Wissen. Speziell an die Wissenschaftler gerichtet, empfahl er ihnen, *"Bioethik als eine neue Ethik der Wissenschaft zu betrachten, die Demut, Verantwortung und Kompetenz miteinander verbindet, die interdisziplinär und interkulturell ist und die den wahren Sinn der Menschlichkeit zum Ausdruck bringt."* (POTTER, V.R., 1988).

Im 20. Jahrhundert haben wir zahllose Unglücke erlebt, wenn wir nur an die menschlichen Verluste in den beiden großen Kriegen und an die Zerstörung der Umwelt denken. Welche Wege haben wir eingeschlagen, die dazu geführt haben, dass wir unseren Gemeinschaftssinn verloren haben und uns von einem eigensinnigen und unverantwortlichen Individualismus beherrschen lassen? Vielleicht haben wir uns von jeglicher Verantwortung für das Verständnis und die Bewältigung der Probleme der menschlichen Gemeinschaft befreit, weil wir die Regeln des "isolierten Selbst" gewählt haben, um die Überlegenheit des Teils gegenüber dem Ganzen zu vertreten. Amartya Sen hat als das irreführendste Motto der postmodernen Reflexion die Tatsache bezeichnet, dass wir die vermeintlichen Tugenden der Regulierungsmechanismen des freien Marktes für so offensichtlich gehalten haben, dass sie keiner ethischen Reflexion bedürfen, um ihre sozialen Folgen zu bewerten. Der Autor kommt zu dem Schluss, dass der Kapitalismus, als er mit unvergleichlichem Detailreichtum zu zeigen versuchte, dass die wissenschaftlich begründete Wirtschaft immer gemäß dem Markt schwanken sollte, nicht das Ziel hatte, die Demokratie zu verteidigen, sondern vielmehr die Bewegungsfreiheit des großen internationalen Kapitals, was, wie die jüngsten Ereignisse gezeigt haben, nur zu einer enormen Zunahme der sozialen Ungleichheiten geführt hat (SEN, A. 2011).

Kürzlich veröffentlichte der französische Wirtschaftswissenschaftler Thomas Piketty "Das Kapital im 21. Jahrhundert", das Ergebnis einer fünfzehnjährigen Forschung über die Entwicklung der Wirtschaftspolitik in zwanzig Ländern in den letzten zweihundert Jahren. In der Schlussfolgerung dieser Untersuchung stellt der Autor fest, dass "*der allgemeine Zusammenhang meiner Forschung darin besteht, dass die dynamische Entwicklung einer Marktwirtschaft mit Privateigentum, wenn sie sich selbst überlassen wird, wichtige Kräfte der Konvergenz enthält, die vor allem mit der Verbreitung von Wissen und Qualifikationen zusammenhängen, aber auch Kräfte der starken Divergenz, die eine potenzielle Bedrohung für unsere demokratischen Gesellschaften und die Werte der sozialen Gerechtigkeit darstellen, auf denen sie basieren*" (PIKETTY, T., 2014).

Die Unterschätzung des Wertes der Menschenwürde, gepaart mit chronischen Problemen wie Hunger, Armut, Ungesundheit und Arbeitslosigkeit, hat dazu geführt, dass sich Gewalt auf allen Ebenen der Gesellschaft entwickelt hat, von der häuslichen bis zur kommunalen Ebene. Dieses Unbehagen hat zahlreiche akademische Arbeiten angeregt, die sich mit der Suche nach Modellen befassen, die die Ideale der Solidarität und des Friedens, die hart erkämpften Errungenschaften der modernen Demokratien, wiederherstellen. Adela Cortina, wie auch andere Autoren, greifen auf das kantische universalistische Modell und die diskursive Ethik von Habermas zurück, um den Aufbau einer Gesellschaft vorzuschlagen, die ein Mindestmaß an Gerechtigkeit ermöglicht, das in der globalen Gesellschaft vorhanden ist. Er betont, dass diese Mindestniveaus nicht aus der liberalen politischen Tradition hervorgehen werden, sondern durch Initiativen, die die soziale Eingliederung fördern. Sie warnt davor, dass eine ungerechte Welt, die die Solidarität und die grundlegenden Menschenrechte unterschätzt, nicht die Mindestbedingungen für ein harmonisches soziales Zusammenleben erfüllt, was die Entstehung fundamentalistischer Bewegungen begünstigen würde, die versuchen würden, die alten totalitären Regime wieder aufleben zu lassen und die demokratischen Errungenschaften, die die westliche Zivilisation so hart erkämpft hat, zu verleugnen. Nur durch die Überwindung des Individualismus, der Vetternwirtschaft und der Ausnahmeregime, durch die Aufhebung der Grenzen zwischen den Ländern und die Stärkung der Solidarität zwischen den Völkern kann nach Ansicht des Autors der soziale Frieden erreicht werden. (CORTINA,A 2001) Unter uns haben Schramm und Kottow (SCHRAMM,F.R. KOTTOW,M. 2001), Garrafa und Porto (GARRAFA, V; PORTO,D. 2003) die "Bioethik des Schutzes" bzw. die "Bioethik der Intervention" vorgeschlagen, die dem Staat die Rolle des Protagonisten in Initiativen zuweist, die darauf abzielen, Politiken der sozialen Eingliederung und sozio-politische Transformationen mit dem Ziel der Emanzipation der Ausgegrenzten einzuleiten. In Anbetracht dieser Postulate stellt sich die Frage, ob die westlichen repräsentativen Demokratien in der Lage sind, diese Transformationen umzusetzen. Im Gegenteil, wir sehen auf globaler Ebene, dass das Ausmaß an extremer Armut, Ungesundheit, Unsicherheit und fehlendem Zugang zu Nahrungsmitteln und Dienstleistungen zunimmt.

Bildung und Gesundheit, Umstände, die die ohnehin schon enorme Zahl der sozial Ausgestoßenen nur noch vergrößern. Andererseits wäre es nach Amartya Sen ein inakzeptabler Reduktionismus, das Konzept der Armut auf die einfache Bedingung eines unzureichenden persönlichen Einkommens zu beschränken (SEN.A, 1999), und er ist der Ansicht, dass die einzige Möglichkeit, die Bürgerschaft wirklich zu fördern, in der Emanzipation der sozial Ausgegrenzten besteht.

Das Fehlen von Bezugspunkten, die Legitimationskrise des Staates und das Anwachsen institutioneller Lücken, die von der organisierten Kriminalität besetzt werden, haben die existenzielle Enttäuschung der Menschen nur noch verstärkt, die, von der Angst ergriffen, ihren Identitätssinn verlieren, weil ihnen eine angemessene soziale Unterstützung fehlt. So finden wir uns in einer globalisierten Gesellschaft mit bedeutenden technologischen Fortschritten wieder, in der eine kleine Anzahl von Menschen mit enormem Vermögen mit einem riesigen Kontingent unglücklicher Menschen zusammenlebt, was von einigen Autoren als die "verarmende Bereicherung" der *Postmoderne* bezeichnet wurde. An die Stelle der persönlichen Identität, die sich im Reichtum der kulturellen Vielfalt harmonisch entwickeln sollte, ist die pathetische Logik des "isolierten Selbst" getreten, wie sie Allan Bloom in Bezug auf die amerikanische Jugend beschreibt:

"Die unbestimmte Zukunft und das Fehlen einer verbindlichen Vergangenheit bedeuten, dass sich die Seele der jungen Menschen in einem ähnlichen Zustand befindet wie die der ersten Menschen, geistig nackt, unverbunden, getrennt, ohne ererbte oder unbedingte Beziehungen zu irgendetwas oder irgendjemandem. Sie können alles sein, was sie wollen, aber sie haben keinen besonderen Grund, etwas Bestimmtes zu sein. (BLOOM A., 1989)

Diese regelrechte Tyrannei des Selbst hat zur Folge, dass der Andere als ein fremdes Element betrachtet wird, das es zu respektieren, zu verletzen und auszugrenzen gilt, wodurch die physische Zerstörung des Anderen in den großen städtischen Zentren immer häufiger vorkommt. Ein emblematischer Fall dieser wahnsinnigen Grausamkeit war die Ermordung des Anführers der Pataxo-Indianer, Galdino dos Santos. Galdino, der seine Gemeinschaft bei einer FUNAI-Versammlung vertreten sollte, schlief auf einer Bank an einer Bushaltestelle in Brasilia ein, ohne eine Unterkunft zu haben. Während er schlief, tränkten fünf junge Männer aus der Mittelschicht seinen Körper in Alkohol und steckten ihn in Brand. Mit Verbrennungen dritten Grades, die 90 % seines Körpers betrafen, starb der indigene Führer. In einer Erklärung, die in der Ausgabe des Correio Braziliense vom 21. April 1997 veröffentlicht wurde, rechtfertigte einer der beteiligten jungen Männer die kriminelle Tat: *"Es war nur ein Scherz! Wir wussten nicht, dass es ein Medium war, wir dachten, es sei ein Bettler."* (CORREIO BRAZILIENSE, 1997). Der Fall Galdino zwingt uns, über die Echtheit des viel gepriesenen Gefühls der Solidarität nachzudenken, das der Mehrheit der brasilianischen Bürger zugeschrieben wird, da viele von ihnen solchen expliziten Praktiken der Verharmlosung des Bösen passiv zusehen. Diese Zeugenaussage zeigt, dass die jungen Angreifer das Verbrechen vielleicht nicht begangen hätten, wenn sie im Voraus gewusst hätten, dass das Opfer ein indigener Anführer war, denn der Angriff galt einem Obdachlosen. In diesem Zusammenhang verweist Endo auf eine von der UNESCO in Brasilia durchgeführte Studie, die ergab, dass in der Wahrnehmung der befragten Jugendlichen aus der Mittelschicht die Demütigung von Transvestiten, Prostituierten und Homosexuellen weniger schwerwiegend ist als Graffiti an öffentlichen Gebäuden, die Zerstörung von Straßenlaternen oder Verkehrszeichen. Außerdem hielten mehr als 20 % von ihnen eine Bestrafung für ihr Verhalten, diese Menschen zu misshandeln, für ungerechtfertigt. Allerdings sollten Personen, die eine solche Haltung einnehmen, dafür bestraft werden, dass sie öffentlich eine sozial verwerfliche Haltung einnehmen (ENDO, P., 2005).

In einer Zeit, in der die wirtschaftliche Globalisierung alle nationalen Grenzen einreißt, lebt die Welt mit unerträglicher Armut, Hunger und hartnäckigsten Menschenrechtsverletzungen. Man denke nur an die ungerechte Behandlung der Tausenden von syrischen Flüchtlingen, die auf der Flucht vor dem Krieg in den Ländern Westeuropas Zuflucht suchen. Die Herausforderung, eine Ethik der verantwortlichen Solidarität zu schaffen, um "die Menschheit zu humanisieren", war noch nie so dringlich wie heute. Vor dem Hintergrund dieser Enttäuschung hat sich eine angewandte Ethik entwickelt, zu der auch die Bioethik gehört, die sich mit der Suche nach alternativen Lösungen für die moralischen Konflikte beschäftigt, die sich aus dieser Situation des sozialen Chaos ergeben.

5 DAS THEMA DER VERANTWORTUNG AUS DER SICHT ZEITGENÖSSISCHER DENKER

In "Politik als Beruf" unterscheidet Max Weber zwischen einer "Gesinnungsethik" und einer "Verantwortungsethik", wobei er davon ausgeht, dass im Falle der ersteren der Zweck die Mittel aller menschlichen Handlungen heiligt (eine Annahme, die von marxistischen Denkern vertreten wird), während im Falle der letzteren die kantische Tradition der Universalisierung moralischer Handlungen wiederbelebt wird. Weber äußert sich wie folgt zu den beiden Modellen:

1. Das menschliche Leben umfasse verschiedene Achsenbereiche, in denen es Spannungen zwischen Moral, Politik und Religion gebe, die er als Quellen unlösbarer Konflikte erkenne, und dass die kluge Haltung darin bestehe, sie auf natürliche Weise zu akzeptieren, und dass niemandem das Recht eingeräumt werden dürfe, eine Position der Überlegenheit zu nutzen, um anderen seine persönlichen Überzeugungen aufzuzwingen.

2. Alle Menschen sollten für die vorhersehbaren Folgen ihres Handelns verantwortlich sein. In diesem Zusammenhang vertritt er die Ansicht, dass die Anhänger eines solchen ethischen Modells, wenn sich die Folgen einer aus reiner Überzeugung ausgeführten Handlung als unangenehm erweisen, nicht den Handelnden, der sie ausgeführt hat, für schuldig halten würden, sondern andere Zufallsvariablen wie *"die Welt, die Torheit der Menschen oder den Willen Gottes, der die Menschen so geschaffen hat". Die* Befürworter einer Verantwortungsethik hingegen sind der Ansicht, dass die Verantwortung für die ausgeführten Handlungen ausschließlich bei demjenigen liegt, der sie ausgeführt hat, und dass es unangemessen wäre, die schädlichen Folgen der eigenen Handlungen auf andere zu übertragen.

3. Die Verantwortungsethik würde voraussetzen, dass die Mittel den zu erreichenden Zielen angemessen sein müssen und dass es keine altruistischen Ziele geben kann, die den Einsatz von Mitteln rechtfertigen, die mit der Verwirklichung der authentischen Ziele unvereinbar sind (WEBER, M.1980).

Auch Max Weber unterscheidet in seinem 1917 veröffentlichten "Aufsatz über die axiologische Neutralität in den soziologischen und ökonomischen Wissenschaften" zwischen den von der Wissenschaft ermittelten Fakten und den daraus resultierenden möglichen Werturteilen. Was damals die Aufmerksamkeit der akademischen Gemeinschaft erregte, war die Frage der "Freiheit der Professur", die den Professoren die völlige Freiheit gab, persönliche Urteile zu Fragen ihres Wissensgebietes abzugeben. Weber vertrat jedoch die Auffassung, dass jedes Argument, das die Überlegenheit eines bestimmten Standpunkts eines Professors gegenüber den Standpunkten anderer Denker rechtfertigen könnte, in Fragen der Politik und des gesellschaftlichen Zusammenlebens unverhältnismäßig wäre. Er vertrat die Auffassung, dass es unmoralisch wäre, wenn Lehrer ihre hierarchische Stellung dazu nutzen würden, ihre Studenten zu beeinflussen oder gar zu indoktrinieren. Zur gleichen Zeit debattierte die deutsche Intelligenz leidenschaftlich über die theoretische Frage der Sozialwissenschaften, und es kam zu einem regelrechten Disput zwischen denjenigen, die dafür eintraten, dass in diesem Wissensbereich die gleichen methodischen Strenge angewandt werden sollte wie bei den Untersuchungen im Bereich der Naturwissenschaften, die ausgesprochen quantitativ waren. Andere wiederum hielten es für unabdingbar, subjektive Werte in diesen Forschungsbereich einzubeziehen und nicht nur die Fakten, die durch Experimente im Bereich der exakten Wissenschaften gewonnen wurden. Jahrhunderts stark von der positivistischen Philosophie Auguste Comtes geprägt war, der die Soziologie als eine Wissenschaft betrachtete, die in der Lage war, soziale Phänomene auf völlig rationale Weise zu erklären. Indem sie auf die Einbeziehung subjektiver Werte verzichtete, beschränkte sie die soziologische Forschung auf die einfache Aufgabe der reinen Beschreibung sozialer Phänomene, was einen Dialog zwischen Wissenschaft und Philosophie nahezu unmöglich machte. So verlief die Wissensproduktion lange Zeit im engen analytischen und quantitativen Bereich, ein Zustand, der die qualitative Forschung in den kaum respektablen Bereich akademischer Initiativen von fragwürdigem wissenschaftlichem Wert stellte. Max Weber hielt es jedoch nicht für unvereinbar, gleichzeitig quantitative und qualitative

Parameter in der wissenschaftlichen Forschung zu akzeptieren.

In "Die protestantische Ethik und der Geist des Kapitalismus", das ursprünglich 1905 veröffentlicht wurde, untersuchte Weber die unterschiedlichsten menschlichen Verhaltensweisen, die die protestantische Ethik und den im Kapitalismus der postindustriellen Ära vorhandenen Rationalismus einander näher brachten. Damals war es üblich, die Wertvorstellungen zu vergleichen, die das Verhalten von Katholiken und Protestanten unterschieden, wobei erstere die lukrativen Aktivitäten des Geschäftsmodells unterschätzten, während Protestanten entgegengesetzte Positionen einnahmen, die von Weber als *"Suche nach der Freude am Leben"* definiert wurden. Nach Ansicht des Autors war diese Auffassung nicht Teil der ursprünglichen Botschaft des Luthertums, sondern wurde später als Ergebnis eines historischen Prozesses aufgenommen, der als asketische Berufung bezeichnet wurde, eine Bedingung, die besagte, dass der wahre Sinn des menschlichen Lebens von einer göttlichen Prädestination abhängt, bei der die Anhäufung von materiellem Reichtum nur die Menschen kennzeichnen würde, die von Gott auserwählt wurden, um seine Manifestation unter den Menschen zu demonstrieren. Webers These fand Unterstützung in den Schriften von Richard Baxter, einer wichtigen Figur des Methodismus, der predigte, dass Müßiggang der größte Ausdruck der Sünde gegen Gott sei und dass jeder Mensch, um seines Gnadenstandes sicher zu sein, unermüdlich arbeiten müsse, um seine Würdigkeit angesichts der göttlichen Gnade zu beweisen.

Baxter riet den wahren Gläubigen, zu arbeiten, zu sparen und sich zu bereichern, denn nur so könnten sie sowohl ihre persönlichen Verdienste unter Beweis stellen als auch ihr ewiges Seelenheil sichern, indem sie dem Müßiggang und dem Vergnügen widerstehen. Auf diese Weise versuchte Max Weber, eine direkte Verbindung zwischen Puritanismus und Kapitalismus herzustellen (WEBER, M., 2008). Einige Soziologen sind der Ansicht, dass Webers Hypothese vermutlich durch die Tatsache bestätigt wurde, dass die Hauptbegründer der englischen chemischen Industrie Calvinisten waren.

Was hat nun diese Webersche These mit dem Ziel dieses Aufsatzes zu tun? Um diese Frage zu beantworten, müssen wir die politischen Vorstellungen vergleichen, die das öffentliche Handeln in zwei Ländern leiten, von denen das eine mehrheitlich protestantisch ist und das andere die größte Anzahl gläubiger Katholiken auf der Welt aufweist. Die Rede ist von den USA und Brasilien. Zu diesem Zweck werden wir das Denken zweier zeitgenössischer Philosophen, Robert Nozick und Franklin Leopoldo e Silva, betrachten. Im Jahr 1974 veröffentlichte Nozick "Anarchy, State and Utopia", in dem er die Gültigkeit des Konzepts der Verteilungsgerechtigkeit in Frage stellte und argumentierte, dass die Rechte des Einzelnen so unveräußerlich und umfassend sind, dass keine demokratische Regierung befugt wäre, öffentliche Gelder aus Einkommenssteuern für Sozialprogramme zu verwenden, die armen Menschen zugute kommen, ohne dass diese einen eigenen Beitrag zur Staatskasse leisten. Nach Ansicht des Autors würde eine solche Haltung nur die Aufrechterhaltung des Trägheitszustandes dieser bedürftigen Bevölkerung begünstigen, die ihre soziale Verantwortung nicht mehr wahrnehmen würde, indem sie passiv auf die Leistungen einer paternalistischen Regierung wartet. Für ihn wäre in einer liberalen Gesellschaft nur ein "Minimalstaat" gerechtfertigt, der sich darauf beschränkt, Verträge durchzusetzen und die Menschen vor Willkür, Diebstahl und Betrug zu schützen. So sollte für Nozick jede Regierung, die die ihr durch das Votum der Steuerzahler verliehene Macht nutzt, daran gehindert werden, Wohlfahrtsprogramme für Bedürftige durchzuführen. Eine der Prämissen, die ein demokratisches Land als Petraritätsklausel annehmen sollte, wäre demnach, keinen Bürger zu etwas zu verpflichten, das nicht aus freiem Willen geschieht, einschließlich finanzieller Beiträge, die Bedürftigen in der Gemeinschaft zugute kommen (NOZICK, R. 1974). Diese politische Idee ist in der amerikanischen Gesellschaft immer noch weit verbreitet. Ein Beweis dafür ist der unnachgiebige Widerstand der republikanischen Partei gegen die Initiativen der Regierung Barack Obamas zur Umsetzung von Vorschlägen, die eine medizinische Versorgung für einen beträchtlichen Teil der in den USA lebenden Menschen garantieren, die keinen

Krankenversicherungsplan haben: ein Zustand, der auf dem Krankenversicherungsmarkt des Landes extrem kostspielig ist. Es handelt sich um eine Bevölkerung von etwa 40 Millionen Menschen, ein riesiges Kontingent von Personen, die nicht krankenversichert sind und daher nicht in den Genuss der Vorteile des Zugangs zu Hightech-Verfahren in dem Land kommen, das über die besten Gesundheitsdienste der Welt verfügt. Franklin Leopoldo e Silva seinerseits analysiert in "Da etica filosofica a etica em saude" (Von der philosophischen Ethik zur Ethik im Gesundheitswesen) die Krise der Vernunft und der angewandten Ethik mit besonderem Augenmerk auf die Bioethik und ihren Ausdruck in der menschlichen Gesundheit, wobei er argumentiert, dass die neue Disziplin ein nützliches Instrument zur Beantwortung von Fragen über die Beziehung zwischen Wissenschaft und menschlichen Werten wäre. Seiner Meinung nach wurde diese Krise durch historische Umstände verursacht, die mit der Überbewertung des Profits zum Nachteil des Gefühls der Solidarität mit den Schwächsten zusammenhängen. Es ist wichtig, sich daran zu erinnern, dass die Menschenwürde nach den Grundsätzen der kantischen Ethik keinen Preis haben kann. Für den Autor gibt es keine Rechtfertigung dafür, dass ein Mensch ungerechte oder entwürdigende Bedingungen in seinem persönlichen Leben erleidet, insbesondere im Bereich der Gesundheit. Zum Abschluss seiner Ausführungen wendet sich Franklin an alle, die im Bereich der Gesundheit Verantwortung tragen: "*Es ist notwendig, die Realität [der sozialen Benachteiligung] und die Situationen zu kennen, in denen ein ethisches Urteil ausgeübt werden muss, aber dieses Urteil zu einer bloßen Rechtfertigung des Bestehenden zu machen, bedeutet, auf Ethik zu verzichten*" (LEOPOLDO E SILVA, F. 1998). Auf diese Weise kann man feststellen, dass der Abstand, der das Denken des brasilianischen Philosophen von dem des Amerikaners Nozick trennt, umgekehrt proportional zu dem Abstand ist, der ihn näher an die Eins-zu-eins-Ethik des französischen Philosophen Emmanuel Levinas bringt, dessen Denken wir später in diesem Essay kurz vorstellen werden. (LEVINAS,E. 1993)

Hans Jonas, ein 1993 verstorbener deutscher Philosoph, führte die Figur der

"Heunstik der Angst" ein, um die Annahme einer umsichtigen Haltung angesichts der moralischen Unsicherheiten zu rechtfertigen, die durch technowissenschaftliche Interventionen entstehen. Der Autor bezeichnete die Herstellung und den anschließenden Abwurf der Atombomben auf Hiroshima und Nagasaki als einen Meilenstein für den unangemessenen Einsatz von Technologie. In einem Interview, das im Mai 1991 in der Zeitschrift Esprit veröffentlicht wurde, sagte Jonas: *"Das hat das Denken in Richtung einer neuen Art des Hinterfragens in Gang gesetzt, gereift durch die Gefahr, die unsere Macht für uns selbst darstellt, die Macht des Menschen über die Natur."* (GREISCH,J. 1991).

Jonas war sich nicht über eine abrupte Apokalypse im Klaren, sondern erkannte die Möglichkeit einer allmählichen Apokalypse als Folge des rücksichtslosen Einsatzes des technischen Fortschritts. Der Autor gab zu bedenken, dass bis zum 20. Jahrhundert der Geltungsbereich der ethischen Vorschriften auf die zwischenmenschlichen Beziehungen beschränkt war. Es handelte sich um eine anthropozentrische Ethik, die auf einen bestimmten historischen Moment ausgerichtet war. Der technowissenschaftliche Eingriff nach der Beherrschung der Atomphysik hat diese einfache Realität drastisch verändert, indem er die Natur menschlichen Entwürfen unterwarf, mit anderen Worten, sie kann radikal verändert werden, ein Zustand, der nun die Schaffung eines neuen Verantwortungspaktes zwischen Mensch und Natur erfordert. Jonas schließt mit der Feststellung, dass dieser neue ethische Vorschlag die harmonische Koexistenz zwischen Mensch und außermenschlicher Natur berücksichtigen sollte. Der Autor stellt fest, dass alle bisherigen traditionellen Ethiken drei Prämissen gehorchten, die durch die folgenden Voraussetzungen gekennzeichnet sind:

1. Die menschlichen und außermenschlichen Bedingungen sind unabhängig von menschlichen Eingriffen immer gleich geblieben.

2. Ausgehend von der obigen Annahme könnte man das Gute der menschlichen und außermenschlichen Natur eindeutig und ohne Schwierigkeiten bestimmen.

3. Die Verantwortung für menschliche Handlungen und deren Folgen wäre zeitlich

perfekt abgegrenzt.

Die Natur würde nicht durch menschliches Handeln geschützt werden, da sie in der Lage wäre, für sich selbst zu sorgen. Die Ethik hatte mit dem Hier und Jetzt zu tun. Anstelle der alten ethischen Imperative, einschließlich der kantischen Norm: *"Handle so, dass das Prinzip deines Handelns zu einem universellen Gesetz werden kann"*, schlägt Jonas einen neuen Imperativ vor: "Handle so, *dass die Auswirkungen deines Handelns mit der Dauerhaftigkeit des echten menschlichen Lebens vereinbar sind"* oder, negativ ausgedrückt: *"Gefährde nicht den unbestimmten Fortbestand der Menschheit auf der Erde."* (JONAS, H. 1995). Die enorme Verletzlichkeit der Natur, die technowissenschaftlichen Eingriffen unterworfen ist, wurde zu einer ungewöhnlichen Situation, da nichts Geringeres als die gesamte Biosphäre anfällig für Veränderungen wurde, was es unabdingbar machte, nicht nur das Wohl des Menschen, sondern auch das der gesamten außermenschlichen Natur zu berücksichtigen. Darüber hinaus machten neue Eingriffe, die das Wesen des Menschen selbst verändern, das Ausmaß der Herausforderung für die ethische Reflexion deutlich. Jonas führt eine Reihe von Fragen in verschiedenen Bereichen der menschlichen Gesundheit auf, z. B. fragt er im Hinblick auf den Einsatz unverhältnismäßiger medizinischer Verfahren zur künstlichen Verlängerung des menschlichen Lebens, der so genannten Dysthanasie: Inwieweit ist dies gerechtfertigt? Wäre es ethisch vertretbar, mit Hilfe chemischer Reize Glücks- oder Lustgefühle im Leben eines Menschen zu erzeugen, um sein Verhalten zu steuern? Mit Blick auf die Genmanipulation, bei der der Mensch die Evolution seiner eigenen Art in die Hand genommen hat, fragt der Philosoph: Ist der Mensch für die Rolle des Schöpfers bereit? Wer wäre der Bildhauer des neuen Menschenbildes, nach welchen Kriterien und auf der Grundlage welcher Modelle? Hat der Mensch das Recht, sein eigenes genetisches Erbe zu verändern?

Der Philosoph warnte: *"Angesichts des fast eschatologischen Potenzials unserer Technologie ist die Unkenntnis der endgültigen Folgen an sich schon Grund genug für eine verantwortungsvolle Mäßigung [...]. Ein weiterer Aspekt ist erwähnenswert: Die Ungeborenen haben keine Macht [...]. Welche Kräfte sollen in der Gegenwart die Zukunft repräsentieren?"* (JON AS, H. 1995). Angesichts einer so außergewöhnlichen Kraft der Veränderung verstand Jonas, dass wir keine mäßigenden Regeln haben, um unser Handeln zu ordnen. Diese enorme Fehlanpassung kann nach Ansicht des Autors nur durch die Formulierung einer "neuen Ethik" korrigiert werden. In Bezug auf die Umwelt vertrat Jonas die Ansicht, dass *"die von der Natur eingesetzte Verantwortung, d. h. das, was von Natur aus existiert, unabhängig von unserer vorherigen Zustimmung wäre. [Es wäre eine unwiderrufliche, unkündbare und globale Verantwortung".* (JONAS,H. 1995). Er verstand, dass in der Ära einer von der Technologie beherrschten Zivilisation die erste Pflicht des Menschen seiner eigenen Zukunft gegenüber besteht. Und der Respekt vor der Umwelt als "conditio sine qua non" für die Erhaltung des menschlichen Lebens wäre darin bereits klar enthalten. Wir sollten uns daher vor Augen halten, daß das üppige und hochentwickelte Leben auf unserem Planeten, das durch eine lange Periode schöpferischer Arbeit erreicht wurde und nun auf das Eingreifen des Menschen angewiesen ist, von der gesamten Menschheit eine neue Verpflichtung zum Schutz und zur Erhaltung einer gesunden Umwelt verlangt.

Mit einer ähnlichen Sichtweise sprachen Morin und Kern über die Beziehung zwischen der Menschheit und dem Leben auf dem Planeten:

"die winzigen Menschen auf dem winzigen Film des Lebens, der einen winzigen Planeten in einem riesigen Universum bedeckt. Aber gleichzeitig ist dieser Planet eine Welt, ist das Leben ein pulsierendes Universum von Milliarden und Abermilliarden von Individuen [...] Unser irdischer Stammbaum und unser Ausweis können heute, am Ende des fünften Jahrhunderts der planetarischen Ära, endlich bekannt werden. Und gerade jetzt, in dem Moment, in dem die über den Erdball verstreuten Gesellschaften miteinander kommunizieren, in dem Moment, in dem sich das Schicksal der Menschheit kollektiv abspielt, erlangen sie für uns Bedeutung, um unsere irdische Heimat zu erkennen." (MORIN, E. KERN, A.B., 1995)

Tatsache ist, dass die herkömmliche ökonomische Buchhaltung, die von

Experten verwendet wird, den technischen Fortschritt bewertet und die Umweltzerstörung unterschätzt, was letztendlich die Umsetzung von Politiken ermöglicht, die dem ökologischen Gleichgewicht schaden. Das System zur Bewertung der verschiedenen Erscheinungsformen des Lebens auf unserem Planeten ist recht unsicher, und wir haben keine Vorstellung von der Zahl der Pflanzen- und Tierarten, die jedes Jahr aufgrund unzeitgemäßer menschlicher Handlungen aussterben. Die umweltzerstörerischen Eingriffe der letzten Jahrzehnte haben zu einer Verringerung der landwirtschaftlichen Nutzfläche und einer unkontrollierbaren Umweltverschmutzung geführt. Infolge dieser Probleme steigen die Ausgaben für Projekte zur Dekontaminierung von Wasserquellen und für die Behandlung von Krankheiten wie Hautkrebs, verschiedenen Formen von Allergien, Lungenemphysem, Bronchialasthma und anderen Atemwegserkrankungen (SIQUEIRA, J.E., 1998). Die Unfähigkeit, nicht-aggressive Technologien an das empfindliche Leben des Planeten anzupassen, verändert eine Realität, die seit Millionen von Jahren andauert und zur Zerstörung der Ozonschicht sowie zu einer unbefriedigenden menschlichen Entwicklung führt, die von Armut und sozialer Ungleichheit begleitet wird. Es besteht also ein Zusammenhang zwischen Umweltzerstörung und sozialer Ungerechtigkeit. Die absoluten Zahlen zeigen, dass derzeit mehr Menschen auf der Welt an Hunger leiden als je zuvor in der Geschichte der Menschheit. Die Kluft zwischen reichen und armen Ländern wird immer größer, und es gibt keine zufriedenstellenden Indikatoren, die diese traurige Realität korrigieren könnten. (WELTKOMMISSION FÜR UMWELT UND ENTWICKLUNG, 1992) Die Lebenserwartung der Japaner liegt bei fast 80 Jahren, während die Einwohner der afrikanischen Länder südlich der Sahara nicht einmal 50 Jahre alt werden.

Tatsache ist, dass die Veränderungen, die jetzt in die Umwelt eingebracht werden, kumulativ sind und dass die für diese Veränderungen verantwortlichen Akteure in den nächsten Jahrhunderten nicht mehr da sein werden, um sich für ihr Handeln zu verantworten. Künftige Generationen haben den jetzigen keine

Befugnisse für diese abstrusen Entscheidungen übertragen und werden nur die bitteren Früchte davon ernten. Die Mehrheit der heutigen Verantwortlichen wird die schwerwiegendsten Auswirkungen des sauren Regens, des globalen Temperaturanstiegs, des Abbaus der Ozonschicht, der unkontrollierbaren Wüstenbildung und des unwiederbringlichen Verlusts der biologischen Vielfalt nicht mehr erleben. In einer öffentlichen Erklärung warnte Barack Obama, als er noch Präsident der Vereinigten Staaten war, dass die heutige Generation die erste ist, die die schädlichen Auswirkungen der Umweltzerstörung zu spüren bekommt, und dass sie möglicherweise die letzte ist, die Maßnahmen ergreift, um den Planeten vor einer Katastrophe unvorstellbaren Ausmaßes zu bewahren. Donald Trump, der derzeitige US-Präsident, sieht das leider anders. Für ihn ist die globale Erwärmung eine großartige Erfindung von untätigen Wissenschaftlern.

Wir sind daran gewöhnt, mit Problemen von begrenzter moralischer Komplexität zu leben, die uns kaum in die Lage versetzen, die beunruhigenden Dimensionen der ethischen Fragen zu verstehen, die heute gestellt werden. Die Technikwissenschaft sieht nur schwarz und weiß, während die Ethik das Grau und seine verschiedenen Schattierungen wahrnimmt. Mit diesen Fragen konfrontiert, sagte Jonas: "Infolge der zwangsläufig utopischen Ausmaße der modernen Technologie schrumpft der heilsame Abstand zwischen alltäglichen und extremen Fragen, zwischen Anlässen, die gewöhnliche Vorsicht erfordern, und solchen, die tiefe Weisheit verlangen, sprunghaft [...]. Wenn die neue Art unseres Handelns eine neue Ethik der langfristigen Verantwortung erfordert, die mit dem Umfang unserer Macht einhergeht, so erfordert sie im Namen dieser Verantwortung auch eine neue Art der Demut. Eine Demut, die nicht mehr dieselbe ist wie zuvor, die also nicht mehr die Demut vor der Kleinheit ist, sondern vor dem Übermaß unserer Macht, das sich in das Übermaß unserer Handlungsfähigkeit übersetzt [...]. Angesichts des eschatologischen Potentials unserer technologischen Prozesse wird die Unkenntnis der letzten Implikationen selbst zum Grund für eine verantwortungsvolle Zurückhaltung [in unserem Handeln]." (JONAS, H. 1995).

6 VERANTWORTUNG FÜR DEN AKT DER FÜRSORGE, DER DER AUSÜBUNG DER MEDIZIN INNEWOHNT:

"Es kommt der Zeitpunkt, an dem man sich von gebrauchter Kleidung trennen muss,

die bereits die Form des eigenen Körpers hat.

und unsere Wege vergessen, die uns immer an dieselben Orte führen.

Es ist Zeit, die Grenze zu überschreiten, und wenn wir es nicht wagen, werden wir

für immer am Rande unserer selbst bleiben. " (PESSOA, F., 2008.)

Der in Litauen geborene Emmanuel Levinas emigrierte nach Frankreich, wo er Philosophie studierte und sich bei Husserl und Heidegger mit der Phänomenologie auseinandersetzte. Er lehrte an den Universitäten von Poitiers, Paris-Nanterre und schließlich in Sorbone. Unzufrieden mit dem Rationalismus der Moderne, der die Überhöhung des *"Ich"* privilegierte, widmete *er* sich der Reflexion über die Bedeutung des *Anderen und* inspirierte die philosophische Strömung, die als "Ethik der Alterität" bekannt ist. Levinas lehnt das Verständnis des Subjekts als Monade ab, und sein gesamtes philosophisches Projekt ist als das Bestreben zu verstehen, von einer Öffnung aus zu denken, die die monadische Struktur durchbricht, die die Moderne dem menschlichen Wesen zugeschrieben hat (LEVINAS, E., 1993). Nach Ansicht des Autors bietet nur die Figur des *Einen für den Anderen* eine befriedigende Antwort auf die beunruhigende Frage, die im Buch Genesis gestellt wird, als Gott Kain nach dem Verbleib seines Bruders Abel fragt und die ausweichende Antwort erhält: "Bin ich der Hüter meines Bruders?" (DIE JERUSALEMISCHE BIBEL, 2009). Levinas ist der Ansicht, dass jedem Menschen die Aufgabe zukommt, für den *Anderen* verantwortlich zu sein, insbesondere für die sozial Schwächeren. Seiner Meinung nach kann die menschliche Gemeinschaft nur überleben, wenn sie ihre Aufmerksamkeit auf die Ausübung von Brüderlichkeit und Solidarität gegenüber dem leidenden *Anderen richtet.* Der Philosoph stellt mit Nachdruck fest, dass es im Leben eines jeden Menschen nur eine mögliche Bewegung gibt, nämlich über sich selbst hinauszugehen, um den *Anderen* zu erreichen. Diese Bewegung erfordert radikale Großzügigkeit, denn sie bedeutet, sich bedingungslos auf die Begegnung mit dem *Anderen* einzulassen, ohne die Erwartung einer Belohnung für den Verdienst dieser Handlung. Levinas erklärt, dass diese Handlung als "Arbeit ohne Entgelt" betrachtet werden sollte und dass die treibende Kraft dahinter das Anderssein sein sollte, die vollständigste Darstellung der Ethik selbst. Er überlegt, dass diese Bewegung versuchen sollte, ihre eigene Epoche, ihr eigenes Ego zu überwinden, denn die Hingabe an die Epiphanie des Antlitzes des *Anderen* würde ein Amt kennzeichnen, das nicht nur frei ist, sondern von denen, die es ausüben, verlangt, "etwas zu verschenken". Er fragte: *"Woher kommt dieser Schock, wenn ich gleichgültig unter dem Blick des Anderen vorbeigehe?"*. Levinas antwortete: *"Die Beziehung zum Anderen stellt mich in Frage, entleert mich von mir selbst und bietet mir immer neue Möglichkeiten, mich ihm zuzuwenden. Nein, ich wusste, dass ich so reich bin, aber ich habe nicht mehr das Recht, irgendetwas [für mich] zu behalten".* *Ihm zufolge* würde sich der *Andere* im Gesicht manifestieren, als ein interpellierendes Wesen, das Gesicht würde sprechen und den ursprünglichen Diskurs artikulieren, der uns zur Liturgie der bedingungslosen Hingabe aufruft. Das Gesicht des *Anderen* würde sich uns aufdrängen, ohne dass wir seinem Appell gegenüber teilnahmslos bleiben könnten, ohne dass wir behaupten könnten, für das Leiden, das daraus entsteht, nicht verantwortlich zu sein. Angesichts der Forderungen des *Anderen* würde das *Selbst das* Recht verlieren, unbeteiligt zu bleiben. Der Philosoph fügt hinzu,

"Die Epiphanie des absolut Anderen wird durch sein Gesicht repräsentiert, das mich herausfordert und mir auferlegt, seine Nacktheit, seine Bedürftigkeit zu beachten. Seine Anwesenheit [besteht] darin, den Egoismus des "Ichs" selbst aufzulösen. So wird in der Beziehung zum Gesicht [des Anderen] die Beibehaltung der ethischen Orientierung umrissen". (LEVINAS, E., 1993)

Es bleibt zu hoffen, dass die Angehörigen der Gesundheitsberufe für die Stimme von Levinas empfänglich sind und sich bei der Betreuung ihrer Patienten von ihr leiten lassen. Auch die bioethische Reflexion ist Teil dieses Fahrplans auf der Suche nach Spitzenleistungen in der medizinischen Praxis. In dem Artikel

"Bioethics: Science of Survival" definiert Potter die Bioethik als ein Instrument zur Überwindung der anspruchsvollen reflexiven Grenzen der akademischen Disziplinen und bietet den Denkern neue Möglichkeiten für interdisziplinäre Konstruktionen, die die Entstehung einer "Wissenschaft für das Überleben der menschlichen Spezies" ermöglichen. (POTTER, V.R.1970).

In den Gesundheitswissenschaften wird seit langem die Notwendigkeit einer Humanisierung der Beziehung zwischen Arzt und Patient gefordert. In der zweiten Hälfte des 20. Jahrhunderts lehrte der spanische Kliniker Pedro Lain Entralgo, dass *"der Fachmann, der die Medizin als Kunst ausüben will, in den Geisteswissenschaften ausgebildet werden sollte."* (ENTRALGO, P.L.1983)

Im Zusammenhang mit der klinischen Entscheidungsfindung gab es schon immer eine Asymmetrie zwischen professionellem Wissen und der Passivität des Patienten, der die Ratschläge der Fachleute uneingeschränkt akzeptierte. Dieser Zustand der relationalen Asymmetrie wurde als medizinischer Paternalismus bekannt und blieb unangetastet, bis die Patienten selbst, unzufrieden mit der geringen Aufmerksamkeit, die ihnen zuteil wurde, begannen, den Zustand autonomer Agenten anzunehmen, die in der Lage sind, Entscheidungen über ihren eigenen Körper zu treffen. In den klinischen Gesprächen gab es nur die Möglichkeit, sich an deontologische Normen zu halten, ein Gebiet moralischer Gebote, das von der medizinischen Gesellschaft selbst in ihren Berufskodizes definiert wurde. Mit einem klar definierten Rahmen von Regeln - die nicht in Frage gestellt werden konnten - präsentierten die Lehrer den Studenten medizinische Verhaltensregeln, die zu befolgen waren, ohne dass die moralischen Werte oder Überzeugungen der Patienten berücksichtigt werden mussten. Dieses Modell der normgebundenen Haltung kennzeichnete eine Situation der moralischen Unbeweglichkeit, die Fachleute und Patienten in Geiseln deontologischer Instrumente verwandelte, die sie zwangen, in dem unbequemen Zustand moralischer Unterlegenheit zu verharren. Unter diesen Umständen war es für viele Studenten nicht ungewöhnlich, dass sie es für sinnlos hielten, klinische Fälle mit moralischen Konflikten zu besprechen, da es dafür keine plausible Rechtfertigung gab, da die Regeln der geltenden deontologischen Kodizes befolgt werden mussten... Das kartesianisch-flexnerianische Lehrmodell und der medizinische Paternalismus schienen daher ungeeignete Instrumente zu sein, um die Studenten für die schwierige Aufgabe auszubilden, Patienten und ihren Familien bei der Entscheidungsfindung angesichts immer komplexerer moralischer Konflikte zu helfen.

Wenn der moralische Grundcharakter von Medizinstudenten bereits vor dem Eintritt in das Medizinstudium als teilweise strukturiert angesehen werden soll, muss unbedingt anerkannt werden, dass ein wesentlicher Teil ihrer ethischen Bildung während des Studiums erworben und bereichert werden kann. Das kartesianische Modell teilte die komplexe Einheit des menschlichen Wesens in immer kleinere Wissenseinheiten auf und übertrug den zahlreichen autonomen Disziplinen die Aufgabe, das medizinische Wissen zu konstruieren. Infolgedessen wurde die Zeit der akademischen Ausbildung zu einer zwanghaften Übung im "Anhäufen und Anhäufen" von Informationen, ohne dass man sich auch nur im Geringsten um deren Auswahl und Organisation kümmerte. Nach Ansicht von Morin würde die Universität Fachleute mit einem *vollen Kopf* ausbilden, während sie im Gegenteil darauf vorbereiten sollte, einen *gut gemachten Kopf zu* haben, denn wichtiger als die wahllose Anhäufung wissenschaftlicher Informationen wäre es, diese durch Interaktionen mit anderen Kenntnissen so zu organisieren, dass das Wissen einen Sinn erhält (MORIN, E., 2001).

Angesichts des außerordentlichen wissenschaftlichen Fortschritts und der beträchtlichen Zunahme der akademischen Disziplinen hat die UNESCO die Internationale Kommission für Bildung für das 21. Jahrhundert eingesetzt, die zusammen mit der Internationalen Kommission für transdisziplinäre Forschung und Studien das CIRET-UNESCO-Projekt ausgearbeitet hat. In dem von den Organisationen herausgegebenen Abschlussdokument ist zu lesen, dass "disziplinäre Forschung höchstens eine einzige Realitätsebene betrifft [...] Fragmente einer einzigen Realitätsebene [...] Transdisziplinarität interessiert sich für die Dynamik, die durch das gleichzeitige Wirken mehrerer Realitätsebenen entsteht [...], die sich aus disziplinärer Forschung speist [...]. In diesem Sinne wären disziplinäre und transdisziplinäre Forschung nicht antagonistisch, sondern komplementär". Der Abschlussbericht schlägt eine neue Art der universitären Ausbildung vor, die auf folgenden Grundlagen beruht: Lernen zu wissen, lernen zu tun, lernen zusammen zu leben, lernen zu sein (PROJETO CIRET- UNESCO, 1997).

Anfang der 1970er Jahre stellte Andre Hellegers, der erste Direktor des Kennedy-Instituts für Bioethik, fest, dass die Probleme, mit denen Ärzte in den kommenden Jahren konfrontiert sein würden, zunehmend ethischer und weniger technischer Natur sein würden. Das außerordentliche Wachstum der technologischen Medizin ging nicht mit einer grundlegenden ethischen Reflexion einher, was Potter dazu veranlasste, Kriterien dafür vorzuschlagen, wann bei klinischen Entscheidungen im Rahmen der Betreuung todkranker Patienten **nicht** die gesamte verfügbare Medizintechnik eingesetzt werden sollte (POTTER, V.R., 1971).

Man muss sich darüber im Klaren sein, dass die unreflektierte Nutzung des technologischen Fortschritts in der Medizin nicht immer zu zufriedenstellenden Ergebnissen führt und nicht frei von moralischen Konflikten ist. Ein paradigmatisches Beispiel für diese Situation ereignete sich 1989 in den USA mit einem unfruchtbaren Paar, das auf der Suche nach der Erfüllung seines Kinderwunsches die Hilfe einer Klinik für künstliche Befruchtung in Anspruch nahm. Die Frau, Luanne, litt an ausgedehnter Endometriose und konnte keinen Embryo in ihrer Gebärmutter haben, ohne dass die Schwangerschaft zu einem hohen Risiko wurde und zu einer frühen Fehlgeburt führte. John, ihr Ehemann, hatte eine Oligospermie und Spermien mit anatomischen und funktionellen Mängeln. Diese anfänglichen Schwierigkeiten wurden durch den Kauf von Keimzellen von anonymen Spendern überwunden, ein Verfahren, das in den USA nicht gesetzlich vorgeschrieben ist. Da das Paar nicht in der Lage war, den Embryo aus der In-vitro-Fertilisation in der eigenen Gebärmutter zu erhalten, erklärte es sich bereit, eine gesunde Frau als Leihmutter zu engagieren, und zwar auf der Grundlage eines

Vertrags, der im Falle einer erfolgreichen Schwangerschaft eine Entschädigung von 10.000 US-Dollar vorsah - eine Bedingung, die in diesem Land auch rechtlich zulässig war. Während des achten Schwangerschaftsmonats ließ sich das Ehepaar Buzzanca scheiden, und der ursprüngliche Vertrag wurde von Jonh angefochten, der sich mit dem Argument, er habe keine biologische Verbindung zu dem Produkt der Schwangerschaft, nicht verpflichtet fühlte, die Vaterschaft für das Kind zu übernehmen. Der Fötus hatte bereits den Namen Jaycee erhalten, nachdem das Geschlecht des Kindes durch eine Ultraschalluntersuchung des Unterleibs der Leihmutter in den ersten Wochen der Schwangerschaft festgestellt worden war. Die Meinungsverschiedenheit zwischen John und Luanne entwickelte sich zu einem Rechtsstreit und der Fall wurde an den Obersten Gerichtshof von Kalifornien verwiesen. Nach der Geburt des Mädchens und in Erwartung einer endgültigen gerichtlichen Entscheidung entschied Richter Robert Monarch, Jaycee als "Kind ohne definierte Eltern" zu betrachten. Jaycee blieb vier Jahre lang unter der Vormundschaft des Staates Kalifornien, bis die endgültige Entscheidung des Obersten Gerichtshofs des Staates Kalifornien den Fall für Luanne gewann und erst dann ihre elterliche Identität anerkannt wurde. Erst dann wurde ihre elterliche Identität anerkannt. Sie wurde als Luannes Tochter anerkannt, obwohl sie wusste, dass ihr vor Gericht die Vaterschaft von John, ihrem gefühlsbetonten Vater, abgesprochen worden war. Außerdem wusste Jaycee, dass sie nicht nur Gegenstand eines Rechtsstreits sein würde, sondern auch Schwierigkeiten haben würde, ihre biologischen Eltern zu erkennen, die durch die Anonymität geschützt waren, die durch einen Vertrag zwischen den Gametenspendern und der Klinik, die das Paar für die Befruchtung in Anspruch nahm, garantiert wurde. (REVISTA VEJA;1998). In dem beschriebenen Fall zeigt sich, dass bei der Durchführung des medizinischen Eingriffs die Interessen des Ehepaars Buzzanca im Vordergrund standen und die Zukunft von Jaycee, dem Produkt der von ihren sentimentalen Eltern angeordneten Schwangerschaft, außer Acht gelassen wurde. Die italienische Bioethikkommission, die sich mit der Frage der künstlichen Befruchtung befasst, hat am 17. Juni 1994 zu

Recht folgende Stellungnahme abgegeben: *"Das Wohl des ungeborenen Kindes muss als zentrales Kriterium für die Bewertung der verschiedenen Meinungen zur Fortpflanzung angesehen werden [...]. Darüber hinaus ist es ein grundlegendes Prinzip, dass die Geburt eines menschlichen Wesens das Ergebnis einer Verantwortung ist, die ausdrücklich und mit weltweiter Relevanz von denjenigen übernommen wird, die sich der assistierten Reproduktion bedienen.* " (BERLINGUER, G., 2004).

Betrachtet man hingegen den Alltag der medizinischen Versorgung, so kommt man zu dem Schluss, dass die Symptome, die den Patienten in die Sprechstunde bringen, immer mit einem erheblichen Maß an Unsicherheit behaftet sind und Botschaften ausdrücken, die erst entschlüsselt werden müssen, was den Fachmann, der sie hört, dazu zwingt, bei den Empfehlungen, die er dem Patienten gibt, vorsichtig zu sein. Darüber hinaus weisen neurowissenschaftliche Erkenntnisse darauf hin, dass der Mensch im Angesicht einer Krankheit einen neuen existenziellen Zustand annimmt, der sich aus einer komplexen Summe von Empfindungen ergibt, die mit der Aufnahme, Interpretation und Darstellung seiner persönlichen Verletzlichkeit zusammenhängen. Dieser Zustand wurde von Susan Sontag in ihrem Buch "Krankheit als Metapher" sehr gut analysiert, in dem die Autorin die Auswirkungen von Krankheit auf das Leben der Menschen beschreibt: "Krankheit *ist die dunkle Seite des Lebens, eine kostspielige Bürgerschaft. Obwohl wir alle gerne nur den guten Pass benutzen, ist jeder von uns früher oder später gezwungen, sich zumindest eine Zeit lang als Bürger dieser anderen Gruppe zu identifizieren" (SONTAG, S.,* 1984).

Dies zeigt uns, wie wichtig es ist, Fachleute auszubilden, die in den vier von der UNESCO vorgeschlagenen Bereichen der Beherrschung gut vorbereitet sind. Mit anderen Worten, es reicht nicht aus, dass sie über theoretisches Wissen oder technische Fähigkeiten verfügen, sondern dass sie wissen, wie sie *in der* Gemeinschaft, die sie umgibt, *leben* und *sein können*. Es ist daher notwendig, die Relevanz der Lehren von Fernando Pessoa anzuerkennen, wenn er in seinen Versen sagt, dass es einen Moment gibt, in dem es notwendig wird, die Kleider aufzugeben, die bereits die Form unserer Körper angenommen haben und uns in einem veralteten Modell der medizinischen Lehre gefangen halten, und dass wir die Wege vergessen müssen, die uns an die gleichen Orte wie immer führen, und dass wir es wagen müssen, das andere Ufer von uns selbst zu suchen, um das andere zu erreichen, Wie Levinas uns lehrt, ist dies der einzige Weg, um das hippokratische Gebot zu erfüllen, dass "wo die Liebe zum Menschen ist, auch die Liebe zur Kunst sein wird" (CAIRUS, F.H.;RIBEIRO JUNIOR,W.2005)

Der Glaube mancher Menschen, die Wissenschaft habe auf alles eine Antwort, entspringt einer verzerrten Sicht der Realität. Wir müssen uns der Tatsache bewusst sein, dass technowissenschaftliche Fortschritte nicht nur Vorteile, sondern auch Risiken mit sich bringen. Insbesondere in der Medizin sind Risiken und Nutzen der gemeinsame Nenner, wenn es um die Anwendung der außerordentlichen Fortschritte in der waffenfähigen Medizin und der Therapeutik geht. Es ist wichtig, stets einen kritischen Geist zu bewahren, der erkennt, dass es unklug ist, die Fortschritte der Biomedizin aufzuhalten, und gleichzeitig erkennt, dass es unvernünftig ist, einen unkritischen Optimismus zu pflegen, der die damit verbundenen Risiken ignoriert.

Es ist möglich, wissenschaftliche Erkenntnisse als wichtige kumulative Fakten zu betrachten, aber das Gleiche kann man nicht über die Konstruktion ethischer Werte sagen. Die Ethik sollte nicht als einfaches Gewürz betrachtet werden, das den Köstlichkeiten auf der Speisekarte der Technowissenschaft einen besseren Geschmack verleihen soll, sondern sie ist im Gegenteil eine unverzichtbare Zutat, um die von ihr produzierten Lebensmittel für den menschlichen Verzehr gesünder zu machen. Wir sind oft von der Verlockung der Technowissenschaft überwältigt und haben die Illusion, dass die Anhäufung von Wissen ausreicht, um uns glücklich zu machen und die Geheimnisse des Lebens zu meistern. Wir müssen Nietzsches eindringlichen Satz über den Szientismus beherzigen:

"Ihr seid kalte Wesen, die sich gegen die Leidenschaft und die Schimäre aufgeputscht fühlen. Ihr wollt, dass eure Wissenschaft eine Zierde und ein Gegenstand des Stolzes

wird! Ihr heftet euch das Etikett des Realisten an und unterstellt, die Welt sei wirklich so gemacht, wie sie euch erscheint." (NIETZSCHE, F., 2001).

Die Wissenschaft am Fortschreiten zu hindern, ist völlig töricht, harmlos und widerspricht dem Wesen der menschlichen Natur, deren Bestreben es immer sein wird, neue Realitäten zu schaffen. Es ist jedoch unvernünftig, wie einige Positivisten vorschlagen, zu glauben, dass der Mensch des technisch-wissenschaftlichen Zeitalters das von ihm erworbene Wissen ohne jegliche soziale Kontrolle anwenden sollte. Im Gegenteil, Giovanni Berlinguer überlegt, dass: *"Die Geschwindigkeit, mit der wir von der reinen zur angewandten Forschung übergehen, ist heute so hoch, dass die Permanenz von Irrtümern oder Betrügereien, und sei es auch nur für eine kurze Zeit, Katastrophen verursachen kann"* (BERLINGUER, G., 2004)...) Auf der einen Seite gibt es die Anhänger des Bacon'schen Prinzips, das besagt, dass die bloße Tatsache, Wissen zu beherrschen, ausreicht, um uns zu ermächtigen, es so zu nutzen, wie es uns am besten passt, auf der anderen Seite gibt es besonnenere Stimmen wie die von Potter, der die Bioethik in seinem Buch "Bioethics:bridge to the future" definiert: *"Mein Wissen ist begrenzt, aber ich werde es mit dem Wissen und den Meinungen anderer intelligenter Männer kombinieren, die vom Sinn für Ethik inspiriert sind und aus verschiedenen Disziplinen kommen, um meine Überzeugungen und Vorhersagen zu ordnen"* (POTTER, V.R., 1971). Glücklicherweise wird uns zwischen dem "Laissez-faire" und der "Satanisierung" der Technowissenschaften der vernünftige Weg der Besonnenheit angeboten. Das beeindruckende Wachstum der Medizintechnik ist in unangemessener Weise in die berufliche Praxis integriert worden, da sie sich von einer Ergänzung zu einer Notwendigkeit entwickelt hat. Die Fähigkeit, aufschlussreiche Anamnesen zu erheben, hat stark abgenommen, und die eingehende körperliche Untersuchung ist angesichts der unerschöpflichen Informationsfülle der Geräte zu einer lästigen und sogar unnötigen Übung geworden. Die technologische Medizin hat die Art und Weise, wie die Diagnose gestellt wird, und folglich auch das therapeutische Handeln verändert. Die Medizin, die ursprünglich eine reiche Kunst der intersubjektiven

Beziehungen war, hat sich auf ein armseliges Handwerk des Ablesens von Variablen reduziert, die von Geräten geliefert werden. Wir hören zu, ohne zu hören, denn wir sind darauf trainiert worden, die Ausdrucksformen der Subjektivität der Patienten zu unterschätzen. In vielen Universitätskliniken wurden die Visiten auf den Stationen zu einer monotonen Abfolge des Ablesens einer endlosen Liste von Hilfstests (KANH, 1988). In ähnlicher Weise ist mit der Entwicklung multizentrischer klinischer Studien, an denen eine große Zahl von Patienten teilnimmt und die über lange Zeiträume hinweg verfolgt werden, die Illusion entstanden, dass die erzielten Ergebnisse die einzige Richtschnur für das therapeutische Verhalten der Angehörigen der Gesundheitsberufe sein sollten. Dabei übersehen die Ärzte jedoch, dass diese großen "Studien" nicht unbedingt etwas mit den tatsächlichen Fällen zu tun haben, mit denen sie in ihrer täglichen Routine zu tun haben. Man muss bedenken, dass diese Studien statistische Daten liefern, die sich auf eine Stichprobe von Versuchspersonen aus der ganzen Welt beziehen, und dass es ein schwerer Fehler ist, die Informationen aus diesen Studien einfach auf bestimmte Kontexte zu übertragen, den die Fachleute nicht machen sollten (BOBBIO, M., 2014).

Bernard Lown, einer der renommiertesten Kardiologen des 20. Jahrhunderts, beschrieb, dass von einer Million Koronarangiographien, die 1993 in den USA durchgeführt wurden, zweihunderttausend unauffällig waren, und kam zu dem Schluss, dass *"wenn die Richtlinien seines Meisters, Prof. Samuel Levine, befolgt worden wären, nur wenige Patienten mit unauffälligen Koronararterien einer solchen invasiven und teuren Untersuchung unterzogen worden wären"* (LOWN, B., 1996).

Ein weiterer Bereich, in dem die Technologie einen wichtigen Beitrag zur Rettung von Leben geleistet hat, der aber auch zur Einführung unangemessener Verfahren geführt hat, ist die Intensivstation (ICU). Es ist unnötig, die Vorteile der neuen diagnostischen und therapeutischen Methoden hervorzuheben, da unzählige Leben in kritischen Situationen gerettet werden konnten, z. B. bei der Genesung von Patienten mit akutem Herzinfarkt und/oder Krankheiten mit schweren hämodynamischen

Störungen, deren Genesung nur durch den Einsatz ausgeklügelter therapeutischer Verfahren erreicht werden kann. Zufälligerweise werden in unserer Intensivstation auch Patienten mit unheilbaren chronischen Krankheiten aufgenommen, die die unterschiedlichsten klinischen Zustände aufweisen und denen die gleiche Behandlung zuteil wird wie den akut Kranken. Während letztere oft eine zufriedenstellende Genesung erreichten, wurde den chronisch Kranken kaum mehr als ein prekäres Überleben geboten, das oft auf einen vegetativen Lebenszustand beschränkt war. Inwieweit ist es sinnvoll, technische Verfahren zur künstlichen Lebenserhaltung für Patienten mit unheilbaren Krankheiten einzuführen? In der traditionellen medizinischen Ausbildung wird den Studenten viel über Spitzentechnologie und wenig über den transzendenten Sinn des menschlichen Lebens beigebracht. (SIQUEIRA, J.E., 2005) Wir haben die Fähigkeit verloren, die Dimension der Lehre zu verstehen, die in dem Aphorismus enthalten ist: "Die Medizin soll manchmal heilen, sehr oft lindern und immer trösten". Die Ärzte werden dazu erzogen, das Leben als ein rein biologisches Phänomen zu interpretieren und alle biomedizinischen Technologien einzusetzen, um diese eitle Utopie zu verfolgen. Die Besessenheit, das biologische Leben um jeden Preis zu erhalten, hat uns zu therapeutischem Eigensinn verleitet. Wir stehen also vor einem ernsten ethischen Dilemma, dem sich die Intensivmediziner täglich ausgesetzt sehen, wenn sie entscheiden müssen, unter welchen klinischen Umständen es notwendig ist, **nicht** alle auf der Intensivstation verfügbaren Technologien einzusetzen?

7 EINIGE ÜBERLEGUNGEN ZUM THEMA "TODESTABU

Seltsamerweise war die Zeitschrift "The Economist", eine der angesehensten internationalen Wirtschaftspublikationen, in den letzten Jahren das Nachrichtenmagazin, das am meisten über die Pflege am Lebensende berichtet hat. Im Jahr 2010 veröffentlichte sie einen von der Lien-Stiftung in Auftrag gegebenen Bericht mit dem Titel "Quality of death: the ranking of end-of-life care in the world" (THE ECONOMIST & LIEN FOUNDATION, 2010). Im Bericht von 2015 wurde der Index der Sterbequalität ebenfalls aktualisiert, wobei die Anzahl der Palliativstationen in der Welt berücksichtigt wurde (THE ECONOMIST & LIEN FOUNDATION, 2015). Kürzlich, im April 2017, veröffentlichte die Zeitschrift in Zusammenarbeit mit der Henry J. Kaiser Family Foundation einen neuen Bericht mit dem Titel: "Visions and experiences with medical end-of-life care in Japan, Italy, the United States and Brazil" (THE ECONOMIST & THE HENRY J. KAISER FAMILY FOUNDATION, 2017). Angesichts der Bedeutung des Berichts von 2017 werden wir einige Daten hervorheben, die wir für wesentlich halten. Die Studie sollte die Aufmerksamkeit aller Fachleute verdienen, die im Bereich der chronischen Pflege und der Pflege am Lebensende arbeiten, da sie wertvolle Informationen über diesen komplexen Bereich der medizinischen Versorgung ans Licht bringt. Zunächst werden wir uns mit den Meinungen der Patienten darüber befassen, wie sie am Ende ihres eigenen Lebens betreut werden möchten. Wir haben fünf Fragen ausgewählt, die uns am aussagekräftigsten erschienen: 1. "Was ist für Sie am Ende des eigenen Lebens am wichtigsten, wenn es um Hilfe und Pflege geht?" Die Antworten waren: a) das Leben so lange wie möglich zu verlängern: Japan, 9%; USA, 19%, Italien, 13%, Brasilien, 50%. b) Menschen zu helfen, schmerzfrei zu sterben: Japan, 82 %; USA, 71 %; Italien, 68 % und Brasilien, 42 %. Auffallend in Brasilien war, dass 50 % der Befragten dafür plädierten, das Leben so lange wie möglich zu verlängern. Möglicherweise hängt diese Fehleinschätzung mit der unzureichenden Nutzung der Intensivbetten zusammen und rechtfertigt die Tatsache, dass unser Land immer noch eines der wenigen in der Welt ist, das den Einsatz von Palliativmedizin auf

Intensivstationen als vertretbar anerkennt. 2. "Wenn Sie an Ihren eigenen Tod denken, was halten Sie für äußerst wichtig? a) Ihre Familie nicht in finanzielle Schwierigkeiten zu bringen: 59 % in Japan und 54 % in den USA; b) geistigen Frieden zu finden: 40 % in Brasilien; c) die Gesellschaft von geliebten Menschen während des Sterbeprozesses zu haben: 34 % in Italien. Hervorzuheben ist hier die Aussage "geistigen Frieden haben", die von der großen Mehrheit der befragten Brasilianer geäußert wurde. 3." In Bezug auf eine möglichst lange Lebensverlängerung (Daten, die nur von brasilianischen Befragten erhoben wurden, unter Berücksichtigung der unterschiedlichen Bildungsniveaus) befürworten 51 % der Befragten mit Grundschulbildung, während 53 % der Befragten mit Sekundarschulbildung dieselbe Meinung vertreten und nur 35 % der Befragten mit Hochschulbildung die Idee einer wahllosen Verlängerung des biologischen Lebens begrüßen. Daraus lässt sich schließen, dass Brasilianer mit höherem Bildungsniveau Schmerzlinderung und körperlichen und emotionalen Komfort gegenüber der Alternative einer künstlichen Verlängerung ihres biologischen Lebens bevorzugen. (4) Sterben mit weniger Schmerzen, Unbehagen und *LeidenIn den* anderen untersuchten Ländern befürworten 41 % der Personen mit Grundschulbildung, 40 % der Personen mit Sekundarschulbildung und 58 % der Personen mit Hochschulabschluss die Maßnahme. 5. zur Frage, wer über die medizinische Behandlung von Patienten am Lebensende entscheiden soll: Im Durchschnitt aller Länder waren 57 % der Ansicht, dass diese Entscheidung ausschließlich den Patienten und ihren Angehörigen obliegt, während 40 % sich für das von den Ärzten festgelegte Verhalten entschieden und 2 % nicht wussten, wie sie antworten sollten. Kurz gesagt, die Mehrheit der Befragten in Japan, Italien und den USA entschied sich bei schweren und unheilbaren Krankheiten eher für eine Behandlung, die die Schmerzen lindert und es den Familienangehörigen ermöglicht, kurz vor dem Ende des Lebens bei ihnen zu sein, als für Verfahren, die das Leben künstlich verlängern. Den Umfragedaten zufolge äußerten 50 % der Brasilianer, wenn sie nach ihrer Meinung zum eigenen Lebensende gefragt wurden, nachdrücklich den Wunsch, auf einer Intensivstation zu verbleiben, während in den USA, Italien und Japan die Quoten mit 9 % bis 19 % niedriger waren, wobei die Entscheidung für eine palliative Versorgung und einen Tod ohne Schmerzen und Leiden am weitesten verbreitet war. Im Gegensatz dazu hielten in Brasilien nur 42 % diese Option für "sehr wichtig". Ein weiteres Ergebnis der Umfrage ist die ausgeprägte Religiosität der Brasilianer, die sich darin äußert, dass 40 % der Befragten es für "sehr wichtig" halten, am Ende des Lebens "spirituell in Frieden zu sein". Acht von zehn Brasilianern (83 %) machten deutlich, welche Bedeutung sie religiösen und spirituellen Überzeugungen beimessen. Die bemerkenswerteste Statistik ist, wenn diese Menschen ihre Wünsche bezüglich der Behandlung, die sie am Ende ihres Lebens erhalten möchten, erklären. In der Umfrage gaben 54 % der brasilianischen Erwachsenen an, katholisch zu sein, und drei von zehn erklärten, evangelisch zu sein. Angesichts der hohen Zahl der Brasilianer, die der Ansicht sind, dass es wichtig ist, im Angesicht des bevorstehenden Todes geistig in Frieden zu sein", stellt sich die Frage, wie diese Betreuung angeboten wird. In den USA und Japan hingegen, wo die Kosten für medizinische Leistungen oft sehr hoch sind, ist es wichtig, die finanzielle Sicherheit der Familie nach dem Tod des Patienten zu gewährleisten. In Italien war das größte Anliegen der Patienten, dass sie in den letzten Momenten ihres Lebens auf die Anwesenheit "ihrer Angehörigen an ihrer Seite" zählen können, gefolgt von der "Gewissheit, dass ihre persönlichen Wünsche bezüglich der medizinischen Verfahren am Lebensende respektiert werden". Eine besorgniserregende Tatsache, die die Untersuchung in den vier untersuchten Ländern zutage förderte, war das fast systematische Fehlen eines Dialogs mit den Patienten über das Thema Lebensende. In Japan beispielsweise gaben nur 31 % der erwachsenen Patienten und 33 % der über 65-Jährigen an, dass sie Gelegenheit hatten, das Thema mit einem nahestehenden Menschen zu besprechen, und nur 7 % gaben an, es mit ihrem Arzt besprochen zu haben; nur 6 % gaben an, eine formelle Patientenverfügung erstellt zu haben, und 64 % hatten dies nicht getan, da sie sich dieser Alternative nicht bewusst waren. Mit ähnlichen Ergebnissen verweisen wir auf eine Studie, die in einem privaten häuslichen Pflegedienst für Patienten mit unheilbaren Krankheiten in der Stadt Florianopolis durchgeführt wurde und Gegenstand einer Masterarbeit war, die 2016 im Rahmen des Masterprogramms für Bioethik an der Pontificia Universidade Catolica do Parana (PUCPR) vorgelegt wurde. In der Studie untersuchte der Forscher den Wissensstand von 55 Patienten, die im Rahmen des Programms betreut wurden, über Patientenverfügungen (Advance Directives of Will, ADW). Von der Gesamtzahl hatte nur ein Patient seine Patientenverfügung registriert, 3 Patienten äußerten den Wunsch, dies zu tun, nachdem sie mit dem Autor der Studie ein Gespräch über das Thema geführt hatten, die anderen 51 Patienten gaben an, dass ihnen keine Gelegenheit gegeben worden war, darüber zu sprechen (SCOTTINI, M.A., 2016). Es ist bekannt, dass die formale Registrierung von VAD gering ist und von Eltern zu Eltern stark variiert. In den vier untersuchten Ländern wurden zu diesem Thema folgende Ergebnisse erzielt: a) in der Allgemeinbevölkerung: 6 % in Japan und Italien, 27 % in den USA und 14 % in Brasilien. b) unter Berücksichtigung nur der Bevölkerung über 65 Jahre: 12 % in Japan, 5 % in Italien, 51 % in den USA und 13 % in Brasilien. Eine weitere bedenkenswerte Tatsache ist, dass in den USA etwa ein Drittel der Menschen, die nach dem 65. Lebensjahr sterben, in den Monaten vor ihrem Tod in eine Intensivstation eingeliefert wurden und ein Fünftel von ihnen in dem Monat vor ihrem Tod einen chirurgischen Eingriff hatte. Schätzungen zufolge werden bis zum Jahr 2020 mindestens 40 % der US-Bevölkerung in ihren eigenen vier Wänden oder in Altenpflegeheimen sterben, ohne von ihren Familien begleitet zu werden. Andererseits führen die chaotische Situation des öffentlichen Gesundheitswesens in Brasilien, der Mangel an Ressourcen und angemessener Krankenhausinfrastruktur sowie die Unsicherheit und Fehlinformation der Menschen dazu, dass die Vorstellung vorherrscht, dass Orthothanasie, d. h. der Verzicht auf nutzlose oder unverhältnismäßige Therapien bei Patienten mit unheilbaren Krankheiten im Endstadium, als Verzicht auf Pflege oder Unterlassung medizinischer Hilfe angesehen wird. Das Misstrauen in die Qualität der öffentlichen Gesundheitsdienste des Landes begünstigt dieses Missverständnis. In Brasilien gibt es 110 Palliativdienste, die bei der Nationalen Akademie für Palliativpflege (ANCP) registriert sind, während es in den USA 1.700 Einrichtungen gibt. Eine weitere große Herausforderung ist das fast völlige Fehlen von Inhalten über das Lebensende und die Palliativversorgung in den Lehrplänen der Grundstudiengänge im Gesundheitswesen. Eine Studie, die im November 2010 in The Lancet veröffentlicht wurde, zeigte besorgniserregende Ergebnisse über die Qualifikationen der Absolventen von 2420 medizinischen Studiengängen in aller Welt. Das erste pädagogische Projekt, das die medizinischen Fakultäten zu Beginn des 20. Jahrhunderts nach den im Flexner-Bericht vorgeschlagenen Reformen umsetzten, konzentrierte sich auf die Lehre in Tertiärkrankenhäusern. Das zweite Modell, das unter dem Akronym PBL (Problem Based Learning) bekannt ist und in den 1970er Jahren von den Universitäten Maastricht und MacMaster entwickelt wurde, hat sich in der Gesundheitsausbildung weitgehend durchgesetzt. Für das dritte Modell, das die Ausbildung von Fachkräften mit größerer sozialer Verantwortung verspricht und als "Gesundheitserziehungssysteme" bezeichnet wird und die Ausbildung von Ärzten vorsieht, die sich an den Grundsätzen der Ethik des Andersseins orientieren, gibt es noch keine Initiativen zur Umsetzung. Die Studie, die von zwanzig Pädagogen mit umfassender Erfahrung in der medizinischen Ausbildung aus verschiedenen Ländern der Welt im Rahmen der "The Lancet Commissions" erstellt wurde, hatte das Hauptziel, das am besten geeignete berufliche Ausbildungsprofil für die Ausübung der Medizin im 21. Jahrhundert zu definieren (THE LANCET COMMISSIONS, 2010). Jahrhunderts zu definieren (THE LANCET COMMISSIONS, 2010). Der Vorschlag, ein neues Berufsmodell auszubilden, das besser darauf vorbereitet ist, angesichts der komplexen ethischen Konflikte, die in der heutigen, von moralischer Pluralität geprägten Gesellschaft häufig auftreten, vernünftige und umsichtige Entscheidungen zu treffen, bewegt sich immer noch im Bereich der Ideale, die von erfahrenen Pädagogen verteidigt werden, die jedoch nicht mit den Interessen übereinstimmen, die von den durch die Regeln des Marktes gesteuerten universitären Einrichtungen vertreten werden, die es vorziehen, Ärzte auszubilden, um so viele

Patienten wie möglich zu versorgen, unabhängig von der Qualität der für die Gemeinschaft erbrachten Dienstleistung. Auf diese Weise müssen wir leider feststellen, dass wir noch nicht das Ziel erreicht haben, Fachleute auszubilden, die bereit sind, Patienten als biopsychosoziale und spirituelle Wesen anzuerkennen, als Menschen, die die Autonomie haben, ihre Meinung zu äußern und aktiv an den medizinischen Verfahren teilzunehmen, die an ihrem eigenen Körper durchgeführt werden. Wie können wir den Fachleuten eine humanistische Ausbildung vermitteln, wenn sie nicht einmal während ihres Studiums Kenntnisse über das Lebensende und die Palliativmedizin erhalten? Dies ergab die Studie von Pinheiro, der Medizinstudenten des 5. und 6. Studienjahres in Sao Paulo befragte. Jahrgangs der Stadt Sao Paulo befragte. Die Umfrage ergab, dass 83 % der Studenten keine Informationen über die Pflege von Patienten mit unheilbaren Krankheiten erhalten hatten, 63 % hatten keine Inhalte darüber, wie man mehr Nachrichten gibt", und 76 % gaben an, die klinischen Kriterien für die Optimierung der Schmerzbehandlung bei Krebspatienten nicht zu kennen (PINHEIRO,R.S., 2010). Andererseits haben unsere Universitäten zu viel Wert darauf gelegt, unzählige Fächer zu unterrichten, ohne eine logische Verbindung zwischen ihnen herzustellen, die es den Studenten ermöglicht zu verstehen, dass, egal welche Krankheit einen Patienten betrifft, sie immer das gesamte biopsychosoziale Universum des Kranken einbezieht. Die Aufteilung des menschlichen Körpers in Organe und Systeme, die an den meisten medizinischen Fakultäten praktiziert wird, führt dazu, dass die Studierenden und natürlich auch die künftigen Ärzte darauf vorbereitet werden, Krankheiten und nicht Menschen zu behandeln. Edgar Morin stellt mit Nachdruck fest, dass "die disziplinären Entwicklungen der Wissenschaften nicht nur die Vorteile der Arbeitsteilung mit sich gebracht haben, sondern auch die Nachteile der Überspezialisierung, der Eingrenzung und des Abbaus von Wissen. Sie haben nicht nur Wissen und Aufklärung hervorgebracht, sondern auch Unwissenheit und Blindheit" (MORIN, E., 2001). Der beginnende multidisziplinäre Ansatz, der in den medizinischen Fakultäten eingeführt wurde, ist zwar zu begrüßen, reicht aber nicht aus, um die komplexen moralischen Probleme zu bewältigen, die in Situationen am Ende des Lebens auftreten. Angesichts der Endlichkeit des Menschen ist es unerlässlich, dass Disziplinen aus verschiedenen Wissensbereichen wie Medizin, Psychologie, Theologie, Krankenpflege und viele andere miteinander sprechen, denn nur durch den Austausch des Wissens jedes einzelnen Bereichs wird es möglich sein, die Patienten in der letzten Lebensphase angemessen zu betreuen. Nur der interdisziplinäre Ansatz bietet die Mittel, um die in der Palliativmedizin zu treffenden Entscheidungen richtig zu lenken (SANTOS, M., 2017). Wie es sich gehört, haben wir die Erfahrungen des amerikanischen Neurochirurgen Paul Kalanithi aufgegriffen, die er in seinem Buch "Der letzte Atemzug des Lebens" festgehalten hat, in dem er seinen Lebensweg von der Phase "Ich esse bei bester Gesundheit" (Teil I) bis "Ich höre nicht auf, bis ich sterbe" (Teil II) nachzeichnet. Auf 167 Seiten lässt uns der Autor an seiner Erfahrung der Begegnung mit dem Tod teilhaben. Das Nachwort des Buches, das seine Frau Lucy nach Pauls Tod verfasste, enthält die folgende Lehre: *"Pauls Entscheidung, dem Tod nicht aus dem Weg zu gehen, fasst eine Stärke zusammen, die wir in unserer sterblichkeitsfeindlichen Kultur nicht genug feiern. Das Schreiben dieses Buches war eine Gelegenheit, uns zu lehren, dem Tod mit Integrität zu begegnen"* (KALANITHI, P., 2016). Um auf die von The Economist veröffentlichte Studie zurückzukommen, halten wir es für wichtig, einige Punkte bezüglich der in den vier untersuchten Ländern gefundenen Daten hervorzuheben. Ungeachtet der soziodemografischen und kulturellen Unterschiede zwischen ihnen sind einige Übereinstimmungen hervorzuheben, wie etwa die Tatsache, dass die Mehrheit der Befragten, unabhängig vom untersuchten Land, die durch staatliche Initiativen geförderte Gesundheitsversorgung für unbefriedigend hielt. Eine große Zahl der Befragten war der Ansicht, dass die Regierungsbeamten nicht darauf vorbereitet oder nicht motiviert waren, geeignete Maßnahmen für die Pflege älterer Menschen oder von Menschen mit unheilbaren Krankheiten zu fördern. Auf die Frage, welche Behandlungen für die Pflege am Lebensende als wesentlich angesehen werden, gab die Mehrheit der Japaner, Italiener und Amerikaner Therapien den Vorrang, die die Schmerzen verringern und das durch die Krankheit verursachte Leiden lindern würden. Auch bei der Frage nach der Endlichkeit des eigenen Lebens herrschte ein deutlicher Konsens: "so gut wie möglich zu leben, solange die Würde der Person immer geachtet wird". Bei der Diskussion über die Planung des Lebensendes gab die große Mehrheit der Menschen aus allen vier Ländern an, dass der Tod immer noch als "Tabuthema" angesehen wird, was das größte Hindernis darstellt, darüber zu sprechen. In Bezug auf die Registrierung von Patientenverfügungen waren die Nordamerikaner diejenigen, die am meisten Zustimmung zur Unterzeichnung des Dokuments zeigten.

8 SCHLUSSBETRACHTUNGEN :

Wir betonen noch einmal, dass es unnötig ist, auf die Vorteile hinzuweisen, die der Menschheit durch die technologischen Fortschritte der modernen Medizin geboten werden. Es genügt, an die präzisen Informationen zu erinnern, die durch die Tomographie, die Magnetresonanztomographie und die Nuklearmedizin gewonnen werden, an den Beitrag des Ultraschalls als Diagnosemethode, an den entscheidenden Wert der Mammographie für die Früherkennung von Brustkrebs, an die detaillierten Informationen, die durch die Verdauungsendoskopie und die Koronarangiographie gewonnen werden. Aus therapeutischer Sicht können wir die Operationen mit Hilfe der Videolaparoskopie, die Mikrochirurgie und die minimalinvasiven chirurgischen Eingriffe mit Hilfe der Robotik erwähnen, Bedingungen, die den Abstand zwischen Realität und Fiktion fast nicht mehr vorhanden sind. Es ist daher überflüssig, die Leistungen der biomedizinischen Technologie zu preisen. Es ist jedoch unerlässlich, über den angemessenen Einsatz all dieser kostspieligen Geräte nachzudenken. Wir halten es für angebracht, an die klaren Worte von Prof. Jose Paranagua de Santana zu erinnern, der anlässlich des XXXVIII. brasilianischen Kongresses für medizinische Ausbildung im September 2000 sagte: "*Der wissenschaftliche und technologische Fortschritt, der im Rahmen des Flexnerschen Konzepts vor allem in der zweiten Hälfte des 20. Jahrhunderts erzielt wurde, ist ein Beweis, der nicht berücksichtigt werden muss. Auf der anderen Seite, und auch in diesem Punkt gibt es keine Meinungsverschiedenheiten, haben wir eher eine Verschlechterung der ethischen Standards bei der Erbringung medizinischer Dienstleistungen beobachtet als eine Stagnation*" (SANTANA,J.P., 2000). Es besteht also eine breite Übereinstimmung in der Verurteilung der Maßnahmen, die zu einer übermäßig technischen und wenig humanistischen Ausbildung der medizinischen Fachkräfte führen. Wir müssen das ursprüngliche Vertrauen zurückgewinnen, das die Arzt-Patienten-Beziehung seit jeher prägt, denn nur so können wir den kranken Menschen in all seinen reichen und komplexen Dimensionen verstehen.

Kurzum, die Herausforderung, vor der wir stehen, besteht darin, die Medizin weiterhin als eine Technik zu praktizieren, die eine Geisel eines wachsenden Arsenals von Geräten ist, oder aber in unserem beruflichen Handeln zu Wahrnehmung, Reflexion und Kritik zurückzukehren. Wir dürfen auch nicht vergessen, dass die Technologie bereits eine große Zahl von Patienten verführt, die sich oft nur deshalb in ärztliche Behandlung begeben, um sich den Traum von den neuesten, von der Wissenschaft erfundenen Verfahren zu erfüllen. Das Vertrauen in die von den Geräten gelieferten Informationen wächst in gleichem Maße, wie das Vertrauen in die persönliche Kompetenz des Arztes abnimmt. Werden wir tatenlos zusehen, wie die Ausübung der Medizin als Kunst entwertet wird, und die Ärzte als willfährige Marionetten akzeptieren, die von dem technowissenschaftlichen Fundamentalismus manipuliert werden, der von den großen Medizintechnik- und Pharmaunternehmen geschickt gefördert wird?

Andererseits ist es unerlässlich, kulturelle Veränderungen herbeizuführen, die es uns ermöglichen, das Thema Tod zu überwinden, was eine notwendige Voraussetzung dafür ist, dass Patienten mit unheilbaren Krankheiten eine angemessene Palliativversorgung erhalten und dabei auf die physische Präsenz und den emotionalen Trost ihrer Familien sowie auf spirituelle Unterstützung zählen können. Nur so werden wir sie als biopsychosoziale und spirituelle Wesen anerkennen, die das Recht haben, in Würde zu sterben.

REFERENZEN:

BACON, F. *Leben und Werk*. Sao Paulo, Editora Nova Cultura, 1999.

BERLINGUER, G. *Lebensfragen: Ethik, Wissenschaft und Gesundheit*. Sao Paulo: Hucitec, 1993.

    Bioetica cotidiana. Brasilia: Editora UnB, 2004

BIBEL . A.T. Genesis. In *Die Jerusalemer Bibel*. Sao Paulo : Edigoes Paulinas, 1973

BLOOM, A. *Der Niedergang der westlichen Kultur*. Sao Paulo: Best Seller, 1989

BOBBIO, M. *O doente imaginado.Sao* Paulo, Bamboo Editorial, 2014

CAIRUS, F.H. RIBEIRO JUNIOR,W. *Hippokratische Texte: der Patient, der Arzt und die Krankheit*. Rio de Janeiro: Fiocruz, 2005.

INTERNATIONAL CENTER FOR TRANSDISCIPLINARY RESEARCH AND STUDIES *Welche Universität für morgen? Auf der Suche nach einer transdisziplinären Entwicklung der Universität*. Locarno: Ciret-Unesco, 1997

WORLD COMMISSION ON THE ENVIRONMENT AND DEVELOPMENT. Madrid: Alianza Editorial, 1992.

CORREIO BRAZILIENSE. Brasilia. DF, April 21, 1997 CORTINA, A. *Ciudadanos del Mundo*. Madrid: Alianza Editorial, 2001. ENDO, P. *Sobre a Violencia: Freud, Hannah Arendt e o caso do mdio Galdino*.

In: ZUGUEIB Neto,J.(org.) *Identidade e Crises Sociais na Contemporaneidade.'*Curitiba: UFPR, 2005.

    ENGELHARDT , T. *Grundlagen der Bioethik*. Sao Paulo : Loyola, 1998

    ENTRALGO,P.L. *La relation medico-enfermo*. Madrid: Alianza Editorial, 1983.

FREUD, S. *Mas alla del Principio del Placer*. Madrid: Biblioteca Nueva, 1981.

GARRAFA, V. PORTO, D. *Bioetica, poder e injustiga:por uma ética de Intervenão*. In: Bioethik, Macht und Ungerechtigkeit. Sao Paulo: Loyola, 2003.

GREISCH, J. *De la gnose au Principe Responsabilite: un entretien avec Hans Jonas*. Paris: Esprit, 1991.

HOTTOIS, G. *El paradigma bioetico:una etica para la tecnociencia*. Barcelona: Antthropos, 1991.

HUSSERL, E. *La idea de la fenomenologia:problemas fundamentales de la fenomenologia.* Madrid: Alianza Editorial, 1994.

JONAS, H. *El Principio Responsabilidad: ensayo de una etica para la civilization tecnologica.* Barcelona: Herder, 1995.

KALANITHI, P. *Der letzte Atemzug des Lebens.* Rio de Janeiro : Sextante, 2016

KANH,KL *The use and misuse of upper gastrointestinal endoscopy.* Ann Intern Med, v.109, p. 664-670, 1988.

KANT, I. *Ausgewählte Texte.* Petropolis: Vozes, 1985.

LEOPOLDO E SILVA, F. *Von der philosophischen Ethik zur Ethik im Gesundheitswesen.* In: *Einführung in die Bioethik.* Brasilia: CFM, 1998.

LEVINAS, E. *Der Humanismus des anderen Menschen.* Petropolis: Vozes, 1993.

LOWN, B. *Die verlorene Kunst des Heilens.* Sao Paulo: JSN, 1996.

MORIN, E. *El metodo: la naturaleza de la naturaleza.* 3. ed. Madrid: Catedra, 1993.

Der gut gemachte Kopf. Rio de Janeiro : Bertrand Brasil, 2001 MORIN, E. KERN, A.B. *Terra- Patria.* Porto Alegre : Sulina, 1995 NIETZCCHE, F. *A Gaia Ciencia.* Sao Paulo: Companhia das Letras, 2001. NOZICK, R. *Anarchie, Staat und Utopie.* New York: Basic Books, 1974. PESSOA, F. *Livro do desassossego* .Sao Paulo: Edigao de bolso, 2008. PIKETTY, T. *Kapital im 21. Jahrhundert.* Rio de Janeiro: Intnnseca, 2014.

PINHEIRO, R.S. *Avaliação do conhecimento sobre cuidados paliativos em estudantes de medicina do quinto e sexto anos.* Mundo da Saude 2010; 34 (3) : 320-26

POPPER, K. *Logik der wissenschaftlichen Forschung.* Sao Paulo: Cultrix, 1972.

POTTER, V. R. *Bioethics;Science of Survival.* Persp Biol Med, v. 14, S.127153,1970.

Bioethik: Brücke in die Zukunft. New Jersey: Englewood Cliffs, Prentice Hall, 1971.

Globale Bioethik : aufbauend auf dem Erbe Leopolds. Michigan: East Lansing, Michigan State University Press, 1988

PRIGOGINE, I. *Das Ende der Gewissheiten.* Sao Paulo: Unesp, 1996.

CIRET-UNESCO PROJECT *Transdisziplinäre Entwicklung der Universität: Welche Universität für morgen? Auf der Suche nach einer transdisziplinären Entwicklung der Universität,* Lugano: UNESCO, 1997.

REVISTA VEJA. Rubrik Ethik. 4. Februar 1998.

SANTANA, J.P. *Das Paradoxon der medizinischen Ausbildung.* Boletim ABEM, v.28, n.4 sep./dec.2000.

SANTOS, M. *Bioethik und Humanisierung in der Onkologie.* Brasilia : Elsevier ;2017 SCHRAMM, F. KOTTOW, M. *Principios bioeticos en Salud Publica: limitaciones y propuestas.* Cadernos de Saude Publica, v.1, n.4, 2001 SCOTTINI, M. A. *Advance Directives of Will in patients under home hospitalization at a Medical Cooperative in Florianopolis,* Curitiba. Master's thesis PUCPR ; 2016

SEN, A. *Über Ethik und Wirtschaft.* Sao Paulo: Companhia das Letras, 1999 *Die Idee der Gerechtigkeit.* São Paulo : Companhia das Letras, 2011

SIQUEIRA,J.E. *Etica e tecnociencia:uma abordagem segundo o Principio Responsabilidade de Hans Jonas.* Londrina: UEL, 1998.

. *Ethische Überlegungen zur Pflege am Ende des Lebens.* Bioetica, v. 13, n.2, S.37-50, 2005.

SONTAG, S. *Die Krankheit als Metapher.* Rio de Janeiro: Edigoes Graal, 1984.

THE ECONOMIST & LIEN FOUNDATION, *The Quality of death Raakiag end-of-life care access the World* ,2010

THE ECONOMIST &LIEN FOUNDATION , *The Quality of death Raakiag end-of-life care access the World,* 2015

THE ECONOMIST & THE HENRY J. KAISER FAMILY FOUNDATION, *Ansichten und Erfahrungen mit der medizinischen Versorgung am Lebensende in Japan, Italien, den Vereinigten Staaten und Brasilien: Eine länderübergreifende Umfrage.* April,2017

THE LANCET COMMISSIONS, 2010 *Health professionals for a new century : transforming education to strengthen health* systems in an interdependent world. The

Lancet 2010;6736 (10)

    61854-5

    TOFFLER, A. *Der Schock der Zukunft.* Rio de Janeiro: Artenova, 1973.

    WEBER, M. *Wissenschaft und Politik: zwei Berufungen.* Sao Paulo: Cultrix, 1980.

. *Die protestantische Ethik und der Geist des Kapitalismus.* Sao Paulo: Cengage Learning, 2008.

Index

Kapitel 1   2

Kapitel 2   13

Kapitel 3   24

Kapitel 4   29

Kapitel 5   39

Kapitel 6   49

Kapitel 7   60

Kapitel 8   68

Milton Keynes UK
Ingram Content Group UK Ltd.
UKHW010853280324
440101UK00001B/221